Previously on Black Rain...

Adam, 17 ans, n'est pas un adolescent comme les autres. Il est atteint de schizophrénie et vit au cœur du Centre, un lieu de soins psychiatriques un peu particulier dirigé par le docteur Hans Grüber. En effet, Adam, tout comme la poignée de patients qui partagent son sort, est traité par l'immersion dans l'Inside, une ville virtuelle générée par le programme Reset.

Lors de l'une de ces plongées en compagnie de son meilleur ami Vince, Adam va être confronté à une tueuse en série. À partir de ce moment, leur existence au Centre va basculer : le docteur Grüber est-il aussi bienveillant qu'il y paraît ? Pourquoi les plonge-t-il dans l'Inside avec de dangereux criminels ?

Charles, leur ami, va payer de sa vie les nouvelles expériences du directeur. Heureusement, Adam peut compter sur l'aide surnaturelle d'une mystérieuse créature échappée du folklore japonais : une Yuki-Onna, qui non seulement aide les adolescents à affronter les obstacles qui se dressent sur leur route, mais qui semble surtout les guider afin qu'ils découvrent la vérité...

Flammarion

Ouvrage dirigé par Charlotte Volper
Illustrations de Pascal Quidault

© Flammarion pour le texte et l'illustration, 2012
87, quai Panhard et Levassor – 75647 Paris Cedex 13
ISBN : 978-2-0812-7193-7

CHRIS DEBIEN

BLACK RAIN

Saison 01 // Épisode 03

RAINING BLOOD

« You are what you do…
A man is define by his actions, not his memory. »

KUATO

« Il ignorait alors que devenir fou
est parfois une réponse appropriée
à la réalité. »

PHILIP K. DICK

« Die Wahrheit ist wie ein Gewitter
Es kommt zu dir du kannst es hören
Es kund zu tun ist ach so bitter
Es kommt zu dir um zu zerstören

Um zu zerstören
Um zu zerstören. »

RAMMSTEIN

```
▪ Initialisation...
>> Ouverture session : Fichiers «Black
Rain»...
Chargement en cours...
Patientez...

▪ Bienvenue...
>> Ouverture des bases de données...
Chargement...
```

▪ Le Centre :
Financé par un organisme non gouvernemental discret, le Centre est un lieu de soins psychiatriques révolutionnaire. Une poignée de patients sélectionnés y suit un programme novateur fondé sur l'immersion en réalité virtuelle.

▪ Reset :
Logiciel mis au point par Maximillien « Max » Dombrowski sous l'impulsion du docteur Hans Grüber. Ce programme permet d'immerger les patients dans l'Inside, une ville virtuelle, afin de le traiter.

>> Ouverture fiches morphométriques/sujets
du Centre
Chargement...

- Adam, cheveux blonds, 17 ans, 1 m 78.
Pathologie : schizophrénie paranoïde.
Adolescent doué de capacités particulières pour la navigation dans l'Inside. Participe, sous le contrôle du docteur Grüber, à tous les nouveaux protocoles.
Signe particulier : entend les voix de trois personnages qu'il a surnommés respectivement docteur Jekyll, Miss Hyde et le Comique.
- Rachel, cheveux noirs, 19 ans, 1 m 70.
Pathologie : borderline ou état limite.
Jeune femme faisant partie des premiers résidents du Centre. Semble avoir développé un sentiment de méfiance important vis-à-vis de ses thérapeutes.
Signe particulier : porte en permanence une paire de jeans à nanobots réactifs et un T-shirt « Sympathy for the Devil ».
- Alex, cheveux roux, 15 ans, 1 m 65.
Pathologie : syndrome d'Asperger.
Adolescent ayant développé d'extraordinaires aptitudes en matière d'informatique tant en termes de programmation que d'élaboration de nouveaux composants.
Signe particulier : très sensible à l'angoisse, il s'enferme dans une bulle autistique lorsque la pression est trop importante.
- Charles, cheveux bruns, 21 ans, 1 m 85.
Pathologie : psychose infantile ou retard mental.
Unique adulte du Centre, Charles manifeste une douceur et une empathie sans limites envers tous ses semblables, l'exposant particulièrement aux agressions.

Signe particulier : fan inconditionnel de la série *Far-Away*.

Statut : décédé.

• Vince, cheveux noirs, 16 ans, 1 m 73.

Pathologie : autisme.

Adolescent particulièrement doué pour le dessin. Est en cours de création d'un manga (*Girl In The Mirror*) avec son ami Adam. Partage avec ce dernier des capacités hors du commun pour la navigation dans l'Inside.

Signe particulier : tatouages au coin des yeux.

• Les Insoumis :

Parmi les dix sujets sélectionnés pour participer au programme Reset, les cinq susnommés se sont regroupés au sein d'une bande appelée les Insoumis et dirigée par Rachel.

Statut : sous surveillance.

```
>> Ouverture fiches morphométriques/Soignants
Chargement...
```

• Docteur Hans Grüber, cheveux gris, 52 ans, 1 m 92.

Directeur du Centre. Créateur du concept thérapeutique de traitement par immersion en réalité virtuelle.

Informations complémentaires : confidentielles.

• Docteur Sarah Mac Laine, cheveux roux, 36 ans, 1m72

Major de sa promotion, détentrice d'un master en hypnose et d'une thèse de neurosciences appliquées. Bras droit du docteur Grüber.

Informations complémentaires : confidentielles.

```
>> Fermeture session...
```

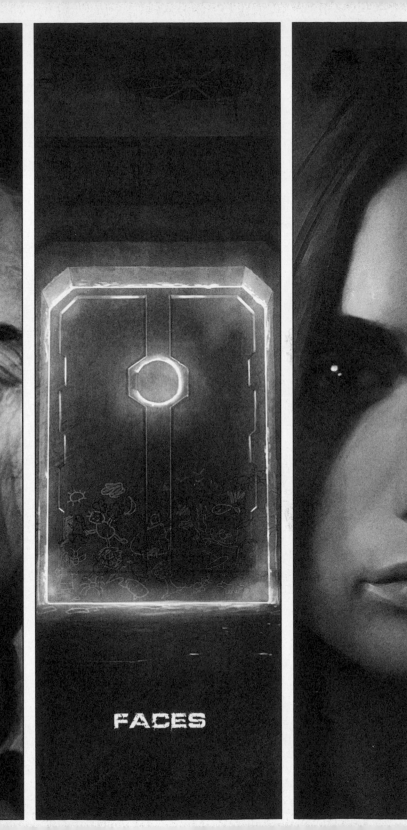

FACES

ONE MORE

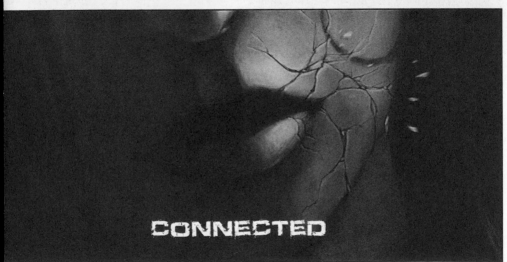

CONNECTED

BEYOND

● REC

Séquence 01   THROUGH THE
LOOKING-GLASS

L e cuir crotale des bottes diffractait la lumière spasmodique des néons, déposant des centaines de petits arcs-en-ciel sur les rayons chargés de figurines. Rien n'avait changé dans la station-service depuis la dernière plongée. Les héros de *Far-Away*, immortalisés en statuettes de plastique attendaient, sagement alignés sur les étagères. Figés dans leur emballage de plexiglas, le capitaine Girk et son fidèle sergent restaient parfaitement immobiles, comme hypnotisés par la voix de Dolly Parton.

« But stubborn pride is just the way of cowboys I suppose... Even love can't change the things he ought to change the most... »

Ressuscitée par un vieux Juk3-Pod poussiéreux, la chanteuse du précédent millénaire distillait un peu d'Ouest américain aux quatre coins de la station-service. La musique s'écoulait en accords sirupeux, serpentait le long des plaques d'acier du faux plafond avant de retomber en notes mélancoliques sur les épaules des trois hommes accoudés au comptoir.

« And it's pride that keeps him standing when he should be on his knees... Makin' apologies but she loves him desperately... »

Les yeux mi-clos, le Chapelier soulignait chaque syllabe d'un claquement d'éperon. Entre deux gorgées de Gengiskein, la bière des nouveaux conquérants, il reprenait les paroles de sa voix rocailleuse. Face à lui, le pompiste, engoncé dans sa combinaison estampillée « Georges », le couvait d'un regard admiratif tandis que Max sirotait distraitement son Leechy-Cola.

Dolly Parton !

Le programmeur n'en revenait toujours pas. Comment le Chapelier – sa création la plus perfectionnée – en était il venu à apprécier la musique *country* ? Par quel caprice informatique son intelligence artificielle avait-elle arrêté son choix sur cette diva oubliée ?

Sans doute un effet inattendu du syndrome von Neumann[1], songea-t-il en souriant.

Comme s'il devinait ses pensées, le Chapelier se tourna vers lui et le pointa du doigt. L'énorme chevalière-cornes de bœuf qui ornait son index semblait briller d'une lueur malicieuse.

« Tu vois, l'Intello, j't'aime bien et j'dois reconnaître que t'as du talent... Mais il n'y a rien de comparable à la grande Dolly... Écoute... »

Max acquiesça en affectant de se concentrer sur les trémolos nostalgiques de la chanson. Il était fasciné par le Chapelier et se demandait à quel point ce dernier avait conscience de ce qu'il était en réalité : quelques milliers

---

1. Le syndrome von Neumann désigne le phénomène observé lorsqu'un programme informatique s'autonomise progressivement, qu'il génère des événements non prévus par son propre créateur.

de lignes de code au cœur d'un incroyable imbroglio de gigaoctets.

« Au fait... Tu vas finir par me dire pourquoi tu es là ? Je ne pense pas que tu sois venu en personne pour écouter des vieilleries et boire un coup avec nous, si ? »

Max fixa quelques secondes le visage taillé à la hache, la barbe de trois jours de son interlocuteur. La parfaite réincarnation de Charles Bronson dans un western spaghetti B2K... Une réussite. Si proche d'un véritable être humain que Max lui-même en était troublé.

« C'est exact.

— Tu veux savoir ce qui s'est passé dans l'Inside lors de la dernière plongée, n'est-ce pas ?

— En fait, je ne vois vraiment pas comment...

— Comment le Dark P. a fait pour prendre le contrôle ?

— Le Dark P. ?

— Le Dark Passenger, c'est moi qui l'ai surnommé ainsi... »

Le Juk3-Pod venait d'échanger Dolly Parton contre les Sons. Dehors, l'averse avait repris et les gouttes s'agglutinaient sur les larges baies vitrées.

« Oui, j'aimerais comprendre comment le... le Dark P. a pu déjouer le système. Je n'ai rien détecté d'anormal de l'extérieur.

— Ça ne m'étonne pas...

— Comment ça ?

— Il faut que tu viennes voir sur place. »

Le Chapelier marqua une pause, extirpa le cure-dent qui lui collait aux lèvres puis releva légèrement le bord de son Stetson. Il exhiba le porte-clefs décapsuleur qui retenait les clefs de sa dépanneuse.

« Il faut que je t'emmène écouter le bruit du Diable... »

Le visage appuyé contre la vitre du véhicule, Max regarda la station-service s'éloigner puis se concentra sur le décor qui défilait de part et d'autre. La pluie soulignait les silhouettes approximatives des buildings telle une couche de goudron liquide déversée sur de titanesques mausolées. Les immeubles étaient à peine ébauchés, lignes verticales réunies par une succession de planchers, semblables à des échelles plantées au milieu d'un décor de carton-pâte.

L'Inside bêta était une réalité sans trame ni consistance, hantée par des créatures filiformes en guise de figurants. Un monde que seul Max pouvait visiter. Une version de travail qui évoluait au fil de sa propre immersion. À son contact, dans un rayon de quelques mètres, l'Inside se gorgeait de matière avant de s'affaisser dès que son créateur s'éloignait.

Max avait beau connaître le phénomène, il s'en étonnait à chaque plongée. Là où se portait son regard, les filaments bleuâtres de l'architecture se chargeaient de matériaux, s'affinaient, devenaient asphalte, gratte-ciel, passants. Et puis tout retournait au chaos originel, quelques objets graphiques à peine plus évolués que les lignes de code dont ils étaient issus.

« Ouaip. Tu peux être fier, c'est vraiment cool tout ça... commenta le Chapelier sans quitter la route des yeux.

— Merci...

— Et puis surtout, c'est cool d'avoir pensé à moi... »

De t'avoir pensé, plus exactement, corrigea Max.

L'informaticien avait du mal à garder à l'esprit qu'il parlait à un programme, au beau milieu d'une ville qui n'existait pas, dans l'habitacle d'un camion tout aussi virtuel. Quant à imaginer que son corps reposait quelque part dans le Centre, c'était tout bonnement impossible !

D'ordinaire, Max préférait rester rivé aux écrans de contrôle pour surveiller la procédure de l'extérieur. Mais cette fois-ci, il n'avait pas le choix. L'agresseur de Charles, cet étrange Johnson, avait réussi à prendre le contrôle, à provoquer un *black-out* total de plusieurs minutes. En théorie, cela était infaisable.

Max devait comprendre ce qui avait buggé dans le programme et il avait besoin de savoir comment le prisonnier s'y était pris. Et puis...

Charles.

Depuis « l'accident », les images de l'adolescent obsédaient Max. Il avait lancé une vérification complète du système, ausculté les moindres recoins du code source, lâché ses logi-guards. Il n'avait rien trouvé, pas la plus petite faille. Alors, il avait chargé la version de travail de Reset pour s'immerger au cœur du logiciel.

Le *Navigator* avait perdu de sa superbe. Ce n'était plus qu'un vague amas de lignes incomplètes tournant dans la vitrine du bureau de Johnson & Johnson.

Max balaya la pièce d'un regard inquisiteur.

Sous la lumière grisée de pluie, les meubles inachevés et la moquette fantôme renforçaient encore le sentiment de malaise qui flottait dans l'air. Il refusait de penser aux horreurs subies par Charles. Il refusait de penser qu'il était en partie responsable de ce gâchis mais il ne pouvait empêcher ses larmes de couler.

Le bruit d'une allumette qui s'enflamme le tira de ses pensées. Puis vint l'odeur âcre du tabac... Le Chapelier ignorait visiblement qu'il était interdit de fumer dans les lieux publics depuis des lustres.

Max sourit. Il avait programmé ce défaut dans son profil, comme une sorte de revanche, une minuscule bulle de résistance dans une société ultra-policée.

Et puis un cowboy sans cigarette, franchement ?

« Je ne vois rien de spécial », lâcha Max.

Le Chapelier arrondit les lèvres et souffla un anneau de fumée bleuâtre.

« Écoute... »

Max tendit l'oreille.

Rien. Rien d'autre que les gouttes violemment rabattues sur les vitres par le vent et la forge de sa propre respiration. Quelques battements de cœur aussi, un peu trop rapides. L'informaticien fouilla dans son blouson, en extirpa un étrange Term. Plus fin que les modèles conventionnels, l'appareil était en outre affublé d'appendices bizarres, palpeurs, senseurs, et autres dispositifs optionnels qu'il avait bricolés.

Au premier contact, le terminal émit une minuscule plainte avant de déverser ses pixels. Effleurements, ouverture de dossiers, lancement de programmes.

Aucune activité suspecte ou inhabituelle.

Le Chapelier s'était installé dans un confortable fauteuil en cuir, les pieds croisés sur le bureau.

« Il n'y a...

— Chut, concentre-toi. »

La pluie, le vent, les poumons qui se gonflent, le muscle cardiaque qui pompe, et... des crissements. Des grattements peut-être. À la limite de l'audible.

« Qu'est-ce que... ?

— Tais-toi et écoute... »

Tapotements sur le Term : analyse sonore.

Max lança une procédure d'enregistrement, élimina les bruits parasites et attendit le verdict de la machine.

```
Résultat : insectes. Frottements d'élytres.
```

Insectes ?

Max leva un sourcil.

Il était bien sûr de ne pas avoir injecté de telles hor-reurs dans l'Inside. Il avait une peur panique de tous ces monstres miniatures capables de survivre à une guerre nucléaire et de s'infiltrer dans les moindres interstices. Max portait d'ailleurs en permanence une bombe insec-ticide à la ceinture.

Von Neumann, encore ?

L'informaticien s'était pourtant soigneusement assuré que la Zone Aveugle était étanche, que rien ne pourrait en sortir. Or là, *quelque chose* avait réussi à modifier la structure intime du programme. Ce qui signifiait qu'*on* s'était introduit dans le système pour le contaminer...

Impossible.

Une icône se mit à clignoter sur l'écran du Term. Un objet de nature indéterminée *venait* d'apparaître dans la pièce.

Impossible.

Deux doigts sur la dalle tactile pour lancer une nouvelle procédure d'étude.

```
......
Analyse
......
```

Mais Max avait beau s'acharner sur son appareil, celui-ci restait muet. Il leva l'œil de la caméra miniature reliée à son Term et scanna la pièce.

Sur l'écran, une silhouette informe se dessina, dans l'un des tiroirs du bureau, juste devant.

Max s'approcha du meuble. À chacun de ses pas, la moquette se matérialisait, le plateau se couvrait d'essences de bois rares.

Il posa la main sur l'une des poignées. Il tremblait légèrement.

« Vas-y, je suis là ! » lança le Chapelier, occupé à lustrer ses bottes.

Max respira un grand coup puis tira le casier d'un coup sec.

Un ours en peluche ! ?

Le jouet le scrutait de ses yeux boutons. Sur sa face, un sourire brin de laine semblait le narguer et il portait un badge frappé d'un aigle enserrant deux éclairs.

Max tendit la main, mais un pressentiment, un détail le retinrent.

Le ventre de l'animal s'agitait. D'affreuses bosses déformaient l'abdomen avant de se répandre en vagues pulsatives dans tout le corps. À chaque spasme, le bruit s'intensifiait. Un son désagréable qui remuait les tripes.

Max recula.

Les convulsions s'accéléraient, agitant la peluche en tous sens. Le tissu se tendait, martyrisant les coutures.

Le Chapelier s'était levé, une ride d'inquiétude barrant son front.

À l'instant où il rejoignit Max, l'ours explosa dans un affreux craquement, libérant des centaines de cafards. La horde grouillante se répandit sur le sol comme une marée noire à l'assaut de côtes vierges.

Max bondit en arrière et hurla tandis que le cowboy lançait la procédure d'urgence.

Retour.

Séquence 02   À TON ÉTOILE

« Sous la lumière en plein
Et dans l'ombre en silence
Si tu cherches un abri
Inaccessible
Dis-toi qu'il n'est pas loin et qu'on y brille »

NOIR DÉSIR

La douleur s'était fait attendre.

Minuscule bulle de souffrance, elle avait patienté, muse-lée par les calmants. À présent que les sédatifs refluaient, elle sortait de sa tanière. Elle s'immisçait dans les muscles, serpentait au gré des terminaisons nerveuses, fouillait les chairs immobiles de Melody.

Remontant le long de la colonne vertébrale, elle allait éclater dans le cerveau de la jeune fille.

Quatre, trois, deux, un... Gémissement !

Réveil.

Melody voulut ouvrir les yeux. Pour comprendre.

Impossible.

Quelque chose emprisonnait son regard, ses lèvres, une sorte de large bandeau intimement soudé à son visage. Un bout de tissu empestant le biocarb', fixé par de larges bandes d'adhésif qui lui tiraillait la peau.

Elle tenta de remuer ses bras, ses jambes mais ses liens se resserrèrent un peu plus, lui arrachant un nouveau râle.

Melody lutta encore quelques secondes puis renonça.

Il ne restait plus qu'à attendre.

*

« *Docteur Grüber ?*

— *Oui ?*

— *Inspecteur Tovic. Nous avons du nouveau.* »

Le médecin espérait ce coup de fil depuis si longtemps. Des milliards de secondes à guetter la vibration du combiné, le timbre suraigu de la sonnerie. Il laissa le récepteur crisser contre sa barbe, passa une main lasse dans ses cheveux.

« *Docteur Grüber, vous m'avez entendu ?* »

Bien sûr qu'il l'avait entendu ! Chaque mot de l'inspecteur, chaque syllabe se gravaient dans sa mémoire au fer rouge. En temps réel, comme un disque dur avide du moindre octet.

Le psychiatre s'efforçait de ne pas analyser les intonations, les hésitations de son interlocuteur.

Surtout ne pas tirer de conclusion hâtive. Surtout ne pas...

« *Docteur Grüber ? Pouvez-vous passer au commissariat ?*

— *Oui... Oui, j'arrive.* »

Il raccrocha, épuisé. Comme si tout le stress de l'attente accumulé depuis plusieurs jours s'était abattu sur ses épaules. Il avait mis toutes ses forces dans cet appel.

Il caressa son alliance nerveusement.

Ne pas se faire d'illusion, repousser l'étincelle d'espoir qui s'était allumée malgré lui.

Si les services de police avaient retrouvé Melody, Tovic le lui aurait annoncé. Qu'elle soit vivante ou...

Alors que lui voulait l'inspecteur ?

Nous avons du nouveau... Tu parles d'une révélation ! *pensa le psychiatre.*

Son esprit émergeait de l'état de stupeur dans lequel l'avait plongé le coup de fil et il réfléchissait maintenant à toute vitesse.

Les flics avaient peut-être une piste, après tout...

Et l'inspecteur se réservait la primeur de l'annonce, confortablement installé derrière son bureau. Oui. Ça ressemblait bien à Tovic. À force de fouiner, la police avait fini par découvrir quelques indices, des traces de sa fille.

À moins qu'il ne veuille vérifier une fois de plus son emploi du temps, son alibi.

Hans Grüber soupira. Il savait que dans quatre-vingts pour cent des affaires de disparition le responsable appartenait à l'entourage direct de la victime. Tovic l'avait certainement appris sur les bancs de la fac. Et comme les proches de Melody se résumaient à une poignée de camarades et lui-même, pas besoin d'être grand clerc pour deviner vers qui se portaient les soupçons...

Le médecin se frotta les paupières longuement. Cela le rassurait, l'apaisait. Il était inutile de se torturer plus avant, il en aurait le cœur net lorsqu'il entrerait dans le commissariat.

Il se leva, les bras alourdis par l'inaction, des mouches plein les yeux.

Il fallait qu'il mange, qu'il boive aussi. Mais d'abord, il devait prendre une douche, se raser, rejoindre la communauté des hommes.

D'un pas mécanique, il se dirigea vers la salle de bains, ouvrit le robinet, contempla son reflet dans le miroir.

Curieux comme le temps vous rattrape toujours, songea-t-il.

En quelques jours, il semblait avoir pris vingt ans.

Une larme de sang s'écoula sous la lame de son rasoir. Il suivit la course de la goutte rubis sans vraiment y prêter attention.

Son cerveau était ailleurs. Il spéculait. En dépit de tous ses efforts, de toutes ses tentatives, il ne pouvait s'empêcher d'espérer. Quoi qu'il arrive, il allait recevoir des nouvelles de Melody.

Mais le docteur Grüber savait qu'il devait se réfréner, qu'il y aurait d'autres appels, d'autres déceptions. Il avait déjà vécu ces instants par procuration des centaines de fois. Il avait déjà accompagné tant de familles, tant de drames...

*

La douleur s'était fait attendre... et Melody ne fut pas déçue.

Elle s'arracha les lèvres à essayer de hurler. Mais le bâillon tenait bon.

Difficile d'inspirer la moindre particule d'oxygène, difficile d'émettre le moindre son intelligible. Les ailes de son nez se mirent à papillonner.

Inspire. Calmement.

Concentre-toi sur ta respiration.

La voix de son père envahit son cerveau, chassant le vacarme assourdissant des battements de son cœur. Il lui avait enseigné, depuis sa plus tendre enfance, les rudiments de l'auto-hypnose. Une bénédiction dont elle se servait chaque fois qu'elle commençait à paniquer.

L'angoisse reflua. Ne restaient plus que les fourmillements, les brûlures et les aiguilles enfoncées dans sa chair. Autant de sensations qui trahissaient une immobilité prolongée.

Son ventre hurlait de faim, aussi.

Depuis combien de temps était-elle assise là ?

Il y avait cette pesanteur insupportable au niveau de sa vessie. Mais Melody résistait. Elle refusait de vivre une humiliation supplémentaire.

Un raclement – béton contre béton ? – lui fit tourner la tête sur sa droite. Une coulée de sueur couvrit son front.

Des pas légers – semelles souples sur du sable ? –, une respiration sifflante, les effluves d'un parfum bon marché.

La jeune fille se concentra sur le moindre bruit afin de suivre les mouvements de l'inconnu.

Il venait de s'immobiliser, sans doute juste en face d'elle.

Melody retint sa respiration. Un réflexe idiot. Une tentative vaine de maîtriser le temps, de tout arrêter.

Le contact d'une main sur son épaule.

Elle sursauta.

La pression se voulait rassurante, presque une caresse.

« Je vais te détacher un peu pour que tu puisses te lever... »

La femme qui l'avait recueillie sous l'averse. Sa voix était douce, apaisante.

La jeune fille secoua la tête en signe de dénégation. Pas question de céder aux ordres, pas question de montrer qu'elle avait renoncé.

« Allons, sois raisonnable... insista la femme, en murmurant à son oreille. Tu ne voudrais pas le mettre en colère, n'est-ce pas ? »

Le mettre en colère ?

Derrière le bandeau qui obstruait son regard, Melody fronça les sourcils. Il y avait donc un complice qui surveillait leurs moindres faits et gestes. Un complice ou un commanditaire...

Dans un souffle, l'inconnue se baissa, défit les liens qui entravaient ses poignets. Melody se mordit la langue lorsque le sang se remit à circuler dans ses doigts. Puis, elle ordonna à ses jambes de se contracter. Un peu trop vite : elle se redressa de quelques centimètres et retomba sur sa chaise.

La douleur la fit grimacer.

« Doucement, tu es faible. Je vais t'aider. »

La jeune fille aurait voulu repousser la femme, lui bondir au visage, la rouer de coups. Comprendre aussi. Mais elle en était incapable, épuisée par les privations, la peur et l'inaction.

Elle n'avait d'autre choix que d'obéir. Sa vessie était proche de l'explosion, ses lèvres craquelaient de soif et le jeûne lui donnait le vertige.

Melody accepta que la femme la soutienne et se laissa guider. À chaque pas, son corps oscillait. Elle éleva les mains pour toucher son visage, arracher cette gangue qui recouvrait ses joues.

« Non ! Ne l'enlève pas... Il ne serait pas content et je ne pourrais pas l'empêcher de s'occuper de toi. »

L'avertissement s'était niché dans un coin de l'esprit de la jeune fille, tout doucement. La voix s'était faite enfantine, aussi cruelle qu'une comptine.

Melody s'installa sur la faïence froide d'une cuvette.

Tandis qu'elle se soulageait, des sentiments contradictoires l'envahissaient. Apaisement du corps, réconfort – malgré tout – de cette visite et terreur de la suite.

« Tu peux te rafraîchir, un peu... »

Une main sur son poignet, un pas sur la gauche. La faïence de nouveau. Tâtonnements. La morsure du métal froid avant le grincement d'une robinetterie ressuscitée.

Puis l'eau tiède sur ses mains, sur son visage, à travers le tissu. Un soupçon de plaisir malgré l'inconfort de la situation.

Melody se figea une seconde. Une bouffée d'air frais venait de caresser sa joue. La sortie probablement.

Elle ne put s'empêcher de tourner la tête.

« N'y pense pas... Il ne te le pardonnerait pas. Il est encore trop tôt. »

Melody s'inclina. Le contact de la femme, son parfum – un truc connu dont la pub inepte passait en boucle sur les chaînes câblées –, ses mots étaient parvenus à calmer la révolte qui couvait en elle, à l'apprivoiser.

L'inconnue l'installa de nouveau sur la chaise avec des gestes lents. Elle renoua ses liens et se retira en lâchant une dernière phrase.

« La prochaine fois, ce sera son tour, tu sais. Et il faudra être très gentille... »

Melody se cala sur sa chaise, droite, immobile. Comme pour signifier qu'elle ne renonçait pas, qu'elle n'avait pas peur.

Mais sous le masque, les larmes brûlaient ses yeux, imbibant la gangue de tissu nauséabond.

Black-out.

*

L'inspecteur le scrutait. Des yeux minuscules, écrasés par des paupières trop lourdes. Une lippe désagréable qui tirait le visage du policier vers le bas comme s'il avait été modelé dans un bloc de cire abandonnée au soleil.

Le flic répéta lentement :

« Votre fille a séjourné quelques heures à peine dans cette maison puis elle a été déplacée.

— Ça, je le sais déjà. »

Ton cinglant d'un père qui n'a plus rien à espérer des convenances sociales, qui n'attend plus rien de qui que ce soit.

« Dans les alentours, nous avons retrouvé un véhicule. Une voiture que vous connaissez bien.

— Que voulez-vous dire ?

— Vous en êtes le propriétaire !

— Que... Comment ? »

Le policier balaya l'étonnement du médecin d'un revers de la main.

« À l'intérieur, il y avait des empreintes et des cheveux qui doivent sans doute vous appartenir... Nous attendons les résultats de l'analyse ADN pour confirmer nos soupçons.

— Mais ? »

Le médecin tentait d'analyser les informations crachées par le policier. Mais il ne comprenait pas. Il n'avait qu'une voiture et elle était garée sagement devant le poste de police, il était venu avec.

Son visage s'éclaira soudain. Un mois plus tôt, il s'était débarrassé de la vieille berline de son père... Il l'avait vendue à un particulier. C'était de ce côté qu'il fallait chercher !

Grüber allait ouvrir la bouche mais Tovic l'arrêta d'un geste et posa les coudes sur la table, les deux index réunis sur ses lèvres. Le tissu bon marché de son costume marron tirebouchonnait sur ses manches, révélant les poignets élimés de sa chemise blanche. Une paire de boutons de manchette s'accrochait avec désespoir à la trame quasi transparente du coton. Des détails, des milliers de détails. Les seules choses que le cerveau du médecin était capable d'enregistrer.

« Docteur Grüber, il vaut mieux que vous gardiez le silence à partir de maintenant. Et je pense que c'est le moment de prévenir votre avocat, si vous en avez un... »

*

Je connais cette voix.

Derrière les grésillements du haut-parleur, derrière le souffle rauque des enceintes, Melody reconnaissait ces accents, ces pauses.

Mais son esprit embrumé ne parvenait pas à l'identifier.

Depuis combien de temps était-elle assise là ? Des heures, des jours ?

Suffisamment pour que la douleur finisse par s'estomper, que ses muscles oublient la paralysie, que sa peau ne sente plus les aspérités de la chaise. Suffisamment pour que la peur elle-même reflue. Il ne restait plus que ce sentiment brut de terreur. Un carcan hérissé de pointes qui comprimait son cerveau.

Je connais cette voix.

C'était devenu son unique obsession.

Lorsqu'il entrait, il ne disait rien, contrairement à la femme. Lui ne communiquait que par microphone.

Elle reconnaissait le bruit lourd de ses pas sur le sable, son odeur lorsqu'il glissait une paille entre ses lèvres craquelées.

La première fois, elle avait hurlé lorsqu'il avait ôté l'adhésif. Il n'avait rien dit, rien fait. Il lui avait juste recollé un sparadrap sur la bouche puis était parti.

Il était revenu une éternité plus tard, avait tiré le collant d'un coup sec, arrachant un nouveau cri qu'elle avait aussitôt réprimé. Elle ne voulait pas qu'il replace le bâillon.

Oubliant la douleur, elle avait aspiré avec avidité la boisson gelée au goût de métal et de médicaments.

Ensuite, il avait attendu, le souffle court, face à elle.

En silence.

Puis il était reparti, comme il était venu, sans rien faire.

Contrairement à sa complice qui la visitait tous les jours pour son hygiène, lui venait de manière aléatoire, renouvelant le même rituel.

Une fois, il avait apporté un breuvage brûlant. De la soupe. Poireau-pomme de terre. Le liquide lui avait ébouillanté la langue, la gorge mais elle s'était rempli l'estomac. Elle avait senti la chaleur se répandre dans son corps, envahir sa poitrine, se diffuser dans son ventre, puis descendre dans ses jambes. Une poupée qui découvre tout à coup la vie, un replicant *lors de sa première activation.*

Que voulait-il ?

Le silence de l'homme était encore plus insupportable que les coups. Le silence était une vague qui usait sa raison.

Parfois, Melody avait l'impression d'être au bord d'un gouffre. Elle sentait qu'elle perdait pied. Alors, elle chantait.

Sous la lumière en plein,
Et dans l'ombre en silence

Une chanson ressuscitée par les Heart of Bones, un groupe à la mode. D'étranges paroles pétries de spleen et d'espoir.

Elle fredonnait jusqu'à s'en étourdir. Pour gommer le cauchemar, pour oublier l'odeur de moisissure, ses vête-ments qui lui collaient à la peau, sa propre odeur qu'elle ne supportait plus...

Peu à peu, elle renonçait. Il n'y avait aucun moyen de fuir.

Et paradoxalement, le bandeau finit par la rassurer.

Cette étoffe empestant le biocarb' était sa garantie de survie. Tant qu'elle n'aurait pas vu son ravisseur, tant qu'elle ne pourrait pas l'identifier, elle conservait une chance.

Si tu cherches un abri
Inaccessible

La jeune fille se laissait bercer par les paroles, goûtant chaque syllabe, chaque sonorité avec délectation. Le timbre de Noir Désir, de ce chanteur maudit B2K, revenu d'outre-tombe par la magie d'une reprise.

Dans sa tête défilaient les mots, les accords, de plus en plus fort, de plus en plus souvent. Le piano mélancolique était un pansement sur sa peur, Melody enfermait la terreur entre des barreaux de notes tandis que la guitare hypnotique de Farah Karlson muselait son effroi.

Maintenant, lorsque la femme entrait dans la pièce, Melody se levait mécaniquement, comme une danseuse dans une boîte à musique. Son esprit se perdait dans la mélodie, sa raison s'enfuyait dans les accords.

Et lorsque l'homme entra cette fois-là dans la pièce, qu'il commença à la déshabiller, elle n'était plus là. Elle murmurait entre les bras tatoués du leader des Bones, enveloppée du baume grave, sensuel, de sa voix.

Dis-toi qu'il n'est pas loin, et qu'on y brille...
À ton étoile...

Séquence 03   GOT IN GAME !

« The Grid.
A digital frontier.
I tried to picture clusters of information
as they moved through the computer.
What do they look like freeways ?
Ships, motorcycles.
Were the circuits like freeways ?
I kept dreaming of a world I thought I'd never see.
And then, one day...
I got in. »

KEVIN FLYNN

» Loading...

Peu à peu, la chair refluait, cédant la place à l'acier, le sang s'épaississait, remplacé par les flux de Sili-Gones™[1]. Adam se confondait lentement avec sa machine.

» Searching...

Des centaines de titres défilaient sur la surface miroir de son casque. D'un geste sec de l'index, l'adolescent peaufinait sa *playlist*. Il n'avait le droit qu'à une dizaine de chansons et il ignorait celles qu'allait sélectionner son adversaire. Cette dimension tactique avait séduit Adam lorsque Alex l'avait initié à WoS – *Words of Steel* –, le dernier jeu en vogue sur la Toile. Un cocktail détonant de course et de musique...

» Initialization...

Les filaments bleuâtres d'une ville-squelette commencèrent à se déployer, au gré d'une basse sourde, une ryth-

---

1. Les Sili-Gones désignent les liquides indispensables à la propulsion des motos dans le jeu vidéo *Words of Steel*.

mique lancinante, sans artifice. Adam identifia aussitôt l'intro de « City of Rage », un morceau sculpté de chair et de métal où les riffs de guitare résonnaient comme la lame d'une tronçonneuse.

Puis le *beat* s'accéléra tandis que les armatures cobalt se chargeaient de détails de plus en plus précis. Au moment où explosa la voix d'Andrew Black, le chanteur charismatique des Angels, New-Polis acheva d'apparaître, îlot de béton et de lumière ceinturé par les langues d'asphalte d'autoroutes entrelacées.

» 5...

Trois circuits clignotaient dans l'angle gauche de la visière d'Adam. C'était à lui de déterminer le parcours où il allait affronter Alex. Un avantage décisif, à condition de l'harmoniser soigneusement avec les morceaux présélectionnés et les caractéristiques de la moto. Des accords violents, une mélodie trop rapide l'obligeraient à réaliser des prouesses de pilotage dans le dédale de l'*underzone* ; une complainte poussive l'handicaperait sur les longues lignes droites.

» 4...

Adam avait choisi une Project B-Motorcycle, un monstre de puissance qu'il fallait conduire avec doigté. À la moindre erreur, il savait que l'engin capricieux lui échapperait, que l'intime fusion entre son organisme et la mécanique volerait en éclats et qu'il en serait quitte pour une spectaculaire sortie de route.

D'un clignement de paupières, l'adolescent enclencha la première piste : « R-Evolution », une envolée lyrique saturée d'électronique épileptique d'un jeune groupe prometteur. Exactement ce qu'il fallait pour la partie initiale du parcours.

» 3...

Sous l'impulsion des premières notes, le moteur se mit à rugir. À chaque impact de la ligne de basse, la turbine de la moto montait en puissance. Toute l'originalité de WoS résidait dans cette curieuse alchimie entre la rythmique et le pilotage, une course effrénée à travers les tentacules goudronnés qui traversaient la ville, sur un engin littéralement propulsé par les percussions.

» 2...

Les vibrations se propageaient le long de l'échine d'Adam, pénétraient au plus profond de son corps pour se nicher au creux de ses entrailles. Devant lui, la cité grimaçait de tous ses néons. Semblables à de titanesques serveurs, les gratte-ciel verre-miroir ouvraient de larges plaies lumineuses dans le ciel. Les yeux de l'adolescent s'attardèrent sur la silhouette rebondie des dirigeables publicitaires qui incendiaient la nuit et sur leur course tranquille contrastant avec l'agitation urbaine.

» 1...

Adam plongea dans la perspective vertigineuse du circuit. Il avait choisi le *Deckard's Loop,* l'un des tracés les plus complexes du jeu. Il y avait d'abord cette immense chute, presque à pic, qui descendait directement dans les quartiers tortueux de la ville basse. Un *run* interminable, couché sur le guidon, où la machine atteignait des vitesses phénoménales.

Puis venait le labyrinthe de l'underground, ses ruelles étroites, ses virages à 90° et ses innombrables obstacles. Un passage où la moindre erreur se soldait par un crash. Adam refusait de songer à une telle éventualité, surtout avec la nouvelle interface bricolée par Alex...

Il jeta un coup d'œil sur la dernière partie du parcours : une longue ligne droite où il devrait pousser sa moto à fond pour franchir le R. Scott's Bridge à demi effondré.

« Évolution ! R... R-Evolution ! Re-vo-lu-tion ! »

Les paroles hurlées par le chanteur enflammèrent le moteur et lorsque le staccato du *beat* s'enclencha, le régime était parfait. Adam n'avait plus qu'à tourner la poignée des gaz, relâcher les freins et se laisser glisser.

» Run...

L'accélération brutale lui coupa le souffle. La musique lui vrillait les tympans, saturait son cerveau avant de s'écouler dans les durites, inondant bielles et pistons. À chaque tour de roue, le rythme de la basse s'emballait un peu plus. Comme si les accords tentaient de se fondre dans le rugissement de la turbine.

La moto rugissait, dévorant l'asphalte, avalant les distances. Adam serra les dents. Les soubresauts de l'engin ébranlaient son corps avec une telle violence qu'il parvenait à peine à se concentrer sur le pilotage. Il testait pour la première fois le système mis au point par Alex et il fallait reconnaître que les sensations étaient au rendez-vous !

Adam jeta un œil dans son rétroviseur : une bande de lumière pure, presque solide, matérialisait le sillage de son engin. Dans un coin de sa visière, des chiffres défilaient sans cesse.

Vitesse. Tours/minute. Temps jusqu'à la prochaine piste. Nombre de poursuiveurs.

Adam savait qu'Alex était capable de faire des miracles mais là, il s'était surpassé.

À l'insu de Max, il avait non seulement réussi à aménager un tunnel dans le *firewall* du Centre afin qu'ils se connecter avec l'Extérieur et téléchargent le jeu, mais surtout il avait réussi à synchroniser la fréquence des nanobots[1] implantés dans leur cerveau avec le logiciel.

Une expérience au-delà des mots.

Il n'avait plus l'impression d'être devant un écran, il était *dans* l'écran. L'espace d'une dizaine de minutes – au-delà, les bots commenceraient à chauffer et ce serait l'inévitable migraine, *au minimum* – il fusionnait littéralement avec sa Project !

```
Poursuiveur 2 en approche.
```

Le signal s'était imprimé sur sa rétine dans un rouge alerte agressif.

Adam leva l'index de la main gauche, traça quelques signes dans le vide. Une fenêtre apparut sur le rebord inférieur de la visière de son casque.

```
Adm   @ Alx  :  Alex ?
Alx   @ Adm  :  P2. O.K. ?
Adm   @ Alx  :  ++
Alx   @ Adm  :  ;) RDV au Scott !
```

Adam n'eut pas le temps de répondre qu'une intense lueur verte l'aveugla.

Il leva les yeux et vit Alex, debout sur sa machine, en train de bondir au-dessus de lui. Un clignement de paupière plus tard et la moto de son ami atterrissait devant la sienne.

---

1. Les nanobots sont de microscopiques « robots » implantés dans le cerveau des patients afin de servir de relais entre le serveur créé par Max et les neurones. Ainsi les instructions envoyées par l'ordinateur sont aussitôt traduites en signaux compréhensibles pour le cerveau et vice versa !

```
Alx   @ Adm  :  Hasta  la  vista !
```

Et Alex fila dans un jet de lumière.

D'un mouvement du poignet, Adam balaya la fenêtre de discussion et se concentra de nouveau sur le bandeau d'asphalte qui défilait sous ses roues. De chaque côté, les bâtiments se succédaient à un rythme vertigineux. Il pouvait presque sentir le vent électronique sur sa nuque, le souffle des accélérations sur sa peau.

Impossible de rivaliser avec la Jet-Fire d'Alex en vitesse pure. En revanche, s'il parvenait à ne pas trop se faire distancer, il pourrait refaire son retard dans la seconde partie du circuit. Son ami éviterait sans doute les voies les plus étroites où la puissance de sa bécane était un handicap alors que le faible gabarit de sa Project permettait à Adam de se faufiler dans le dédale des bas quartiers. Le risque qu'il courait était de percuter un piéton ou un glisseur qui pouvait surgir à n'importe quel moment.

Mais il refusait d'y penser, d'autant qu'Alex l'avait mis en garde. En cas de crash, les conséquences pourraient s'avérer dramatiques sur son cerveau. Impossible de prévoir comment réagiraient les bots malgré le système de sécurité intégré au logiciel.

Adam scruta le scan : ils allaient pénétrer dans le dédale des ruelles et Alex n'avait qu'une poignée de secondes d'avance. S'il ne se trompait pas sur son choix musical, c'était jouable.

Music switch.

Song for the Brave. Vanishead.

Non, les notes mélancoliques des Vanish' ne conviendraient pas. Il fallait autre chose. Adam fit défiler sa sonothèque. Il n'avait qu'à penser et les dossiers s'ouvraient devant lui. Le véhicule d'Alex avait pris le large et les secondes de retard s'accumulaient dans le recoin de son casque. Il devait trouver une solution, et vite.

Desperate Souls !

Le groupe venait de s'imposer comme une évidence. Des accords puissants, des voix qui se répondaient au gré de mélodies chaloupées. Une musique qui exigeait de la maîtrise car les multiples changements de rythme obligeaient le moteur à de brusques modifications de régime. La bécane souffrirait, Adam aussi, mais c'était sa seule chance.

Les guitares électriques s'éteignirent dans un souffle, laissant place à une ligne électronique souple, ponctuée de percussions étouffées. Toute la mécanique réagit aussitôt. Fin des vibrations, perte de vitesse. La moto s'assouplissait, se pliant à sa volonté.

Adam s'engouffra dans les rues saturées de circulation. La Project serpentait entre les véhicules englués, avalait les trottoirs, disparaissait dans l'ombre des buildings. À chaque instant, la carrosserie frôlait l'impact et la machine défiait les lois de l'équilibre. Mais la stratégie se révéla payante, et Adam gagnait du terrain.

Comme il l'avait anticipé, Alex ne s'était pas aventuré dans les voies étroites, il suivait le tracé rectiligne des avenues. Une route plus sûre mais infiniment plus longue.

Je vais t'avoir... murmura Adam tandis que la silhouette décharnée du Scott's Bridge s'élevait derrière les buildings.

Encore quelques secondes et j'enchaîne sur les Sons...

Un clignotement à la lisière de son champ de vision interrompit ses pensées.

Poursuiveur 3 en approche.

Poursuiveur 3 ? Un nouveau joueur ?
Impossible. Personne ne peut nous rejoindre, Alex a ver-
rouillé la session...
Adam fronça les sourcils, leva l'index.

```
Adm   @ Alx  : Alex ? P3 ?
Alx   @ Adm  : P3 ! ! ? ?
Adm   @ Alx  : Derrière toi.
Alx   @ Adm  : WTF ?
Adm   @ Alx  : C'est qui ?
```

En guise de réponse, la visière d'Adam s'assombrit.
Décontenancé, il faillit percuter de plein fouet une aéro-
benne chargée de détritus.

```
P3    @ Adm  : Regarde devant toi, lol.
```

Tout en surveillant la route, Adam scrutait le plan
miniature qui occupait une partie de son casque. À
quelques centaines de mètres au nord, un point rouge
vif fonçait vers l'icône qui représentait Alex. L'adolescent
changea de cap. Mais l'inconnu était déjà sur son ami.
Dans quelques secondes, ce serait le crash.

```
Protection System failure.
Adm   @ Alx  : Ça veut dire quoi ?
Alx   @ Adm  : Rien de bon. Déco-toi.
Adm   @ Alx  : Mais…
Alx   @ Adm  : Vite. Déco ! Déco !
```

Adam lâcha le guidon, seul moyen de couper la musique et de faire stopper la machine.

En principe... Car la Project refusa d'obéir et elle bondit au rythme d'une salve électronique hallucinée.

```
Surprise.
```

Le mot avait envahi toute la visière, effaçant un instant les autres données.

```
Adm    @ Alx  :  Qu'est-ce qui se passe ?
Alx    ............
Adm    @ Alx  :  Alex ?
Alx    ............
P2 éliminé.
```

Qu'est-ce que c'est que ces conneries ?

Les lettres flottaient devant les yeux d'Adam.

Soudain, le Poursuiveur 3 clignota à quelques dizaines de mètres derrière lui.

Alors que l'adolescent s'engageait sur le tronçon du Scott's, une violente secousse ébranla sa moto et une douleur explosa le long de sa jambe.

Une Shibatsu noire venait de le percuter.

Une voiture ? Identification.

```
Identification impossible. Joueur inconnu
dans la base. Profil non traité.
Adm    @ P3   :  Qui ?
P3     @ Adm  :  Devine…
Adm    @ P3   :  Et Alx ?
P3     @ Adm  :  Dommage ;)
```

Les intentions du conducteur paraissaient très claires. Il n'était pas là pour gagner la course, il était là pour éliminer son adversaire, physiquement.

Nouveau choc.

Adam se crispa sur le guidon de sa moto pour l'empêcher de se coucher.

Music switch.

La *playlist* défilait à toute allure.

Il lui fallait un truc puissant, un truc qui propulserait la Project de l'autre côté du pont, à moins d'une seconde de l'arrivée. Dès qu'il aurait gagné, il pourrait se déconnecter sans problème et se précipiter dans la chambre d'Alex pour comprendre...

Girls of !

Parfait ! De l'énergie à l'état pur. C'était...

Mais le véhicule venait de le dépasser et de stopper net devant lui, en travers de la route.

Le regard d'Adam s'agrandit.

Cette voiture !

La Shibatsu noire venait d'éveiller une zone endormie de son cerveau, un souvenir qu'il pensait à jamais enterré.

Non, c'est impos...

Un flot d'images confuses submergea son esprit. Du sang sur un pare-brise, des visages qui se déforment, une odeur de brûlé et cette douleur atroce. Des sensations surgies du plus profond de lui-même, réminiscences d'un passé soudain ressuscité.

Papa... Maman...

Adam sentit des larmes couler sur ses joues.

Le choc fut d'une violence inouïe.

La moto hurla avant de se désagréger dans l'air tiède de la nuit. Éjecté, l'adolescent resta suspendu durant d'interminables secondes. Le défilement des immeubles se ralentissait autour de lui, les sons se figèrent.

Sa mémoire se débloqua.

Dans sa tête se déroulait le film de cet accident, le jour de ses sept ans, cet instant où sa vie avait basculé.

Adam n'était plus dans le jeu, il n'y avait plus de poursuiveur, de Centre, d'Inside, de maladie. Il avait sept ans et il était recroquevillé au fond d'une carcasse déformée où ses parents agonisaient.

Crash out.

Séquence 04   RÉMANENCE

« As I walk up to it gracefully
I'm stopped and astounded by its thorns.
As I walk up to it gracefully,
I'm stopped and astounded by its thorns... »

YESTERDAYS RISING

L'enfant somnolait, la joue posée contre la vitre.

Il tentait de résister, de lutter contre la confortable torpeur qui l'envahissait, en vain. Il finit par sombrer dans un demi-sommeil.

Aussitôt, sa mémoire s'activa. Dans un recoin de son cerveau, Dark Angel, la mascotte d'Anime-Channel, son héros préféré, bondissait de toit en toit, tatouant de sa silhouette fantôme le cœur-néon des buildings. Mais il disparut l'espace d'un instant, lorsqu'une lumière trop intense – des phares ? – força ses paupières. L'enfant ouvrit les yeux, surpris par le décor autour de lui.

Que faisait-il dans cette voiture ?

Puis il y eut le parfum de sa mère, ces fragrances subtiles d'ambre et de patchouli, l'odeur de tabac brun accrochée aux vêtements de son père et ces relents de « trop neuf » qui le ramenèrent quelques secondes dans la réalité.

Il sourit, se recroquevilla un peu plus et replongea dans son rêve.

Dark Angel l'attendait, solidement campé sur ses jambes, face au repaire de l'infâme Docteur X. Une dizaine de *robots patrouillaient sur les hauteurs du hangar, surveillant les alentours noyés par l'averse. L'enfant n'avait pas peur. Il savait qu'aucun androïde ne pouvait résister à l'arsenal de son héros. Mais il hésitait encore sur la tactique à adopter. Une ride de réflexion barrait son front, juste à la racine de ses cheveux blonds. Il échafaudait des plans, étudiait les options qui s'offraient à eux. Hors de question d'échouer cette fois-ci ! Cela faisait trop longtemps maintenant que le Docteur X leur échappait.*

Un cri le fit sursauter.

Une femme...

L'enfant écarquilla les yeux tandis que Dark Angel tirait sa révérence.

Le Docteur X les aurait donc découverts ?

Non. Ce n'était pas ça.

Maman !

Le métal de l'habitacle crissait contre l'asphalte. Le pare-brise, maculé de sang, ressemblait à une plaie ouverte. L'enfant voulut crier mais la ceinture de sécurité écrasait sa cage thoracique, le privant d'air. Il n'y avait plus de haut, plus de bas, juste un tas de tôle rebondissant sur le goudron détrempé.

Malgré la douleur qui éclatait partout dans son corps, l'enfant enregistrait le moindre détail : le mouvement flasque de la nuque de sa mère, le visage dégoulinant de sueur de son père et cette mystérieuse voiture noire qu'ils venaient de heurter.

Une Shibatsu, sans aucun doute.

« Adam ? Adam, réponds-moi ! »

Loin, très loin derrière le fracas de l'acier tordu, les gémissements de souffrance, les sirènes des secours, il y avait cette voix familière.

« Merde, Adam. Dis quelque chose ! »

Rachel. Qui écorchait les aigus pour la circonstance.

Elle semblait désemparée mais l'adolescent ne parvenait pas à la rejoindre. Quelque chose au fond de son cerveau le retenait, l'obligeait à recommencer...

L'enfant somnolait, la joue posée contre la vitre.

Il tentait de résister, de lutter contre la confortable torpeur qui l'envahissait, en vain. Il finit par sombrer dans un demi-sommeil.

Aussitôt, sa mémoire s'activa. Dans un recoin de son cerveau, Dark Angel, la mascotte d'Anime-Channel, son héros préféré, bondissait de toit en toit, tatouant de sa silhouette fantôme, le cœur-néon des buildings. Mais il disparut, l'espace d'un instant, lorsqu'une lumière trop intense – des phares ? – força ses paupières. L'enfant ouvrit les yeux, surpris par le décor autour de lui.

Que faisait-il dans cette voiture ?

...

Encore et encore...

...

Malgré la douleur qui éclatait un peu partout dans son corps, l'enfant enregistrait le moindre détail : le mouvement flasque de la nuque de sa mère, le visage dégoulinant de sueur de son père et cette mystérieuse voiture noire qu'ils venaient de heurter.

Une Shibatsu, sans aucun doute. Pleins phares, fonçant sur eux.

Ce n'était pas une crise. Adam en était sûr.

Sinon, il aurait perdu connaissance. Sa mémoire déchargeait inlassablement le même film, comme si l'adolescent était condamné à visionner la séquence *ad nauseam*. Il avait déjà vu ça, dans le remake d'un truc B2K que lui avait passé Alex, *Orange mécanique Reloaded*.

...
Une Shibatsu, sans aucun doute. Pleins phares, fonçant sur eux. Sous la pluie.

Adam tentait d'endiguer le flot des images.

En vain. Plus il luttait, plus les souvenirs l'agressaient.

Les sons écorchaient ses tympans, la souffrance tordait ses tripes, des sensations aussi intenses, aussi précises que s'il était encore dans la voiture... dix ans plus tôt.

Les larmes inondaient son visage.

Sa mémoire venait de se réveiller pour le plonger dans une réalité atroce, insoutenable.

Il faut que ça s'arrête !

« T'as raison, coco. Et tu comptes t'y prendre comment au juste ? »

Les interventions du Comique étaient de plus en plus pertinentes, ces derniers temps. Mais Adam ne parvenait pas à réfléchir. Trop de douleur, trop d'émotions.

Il aurait tant aimé qu'apparaisse le visage de la Yuki-Onna, qu'elle vienne pour le guider.

« Concentre-toi sur ta respiration. »

L'adolescent sentit qu'il se produisait une sorte de déclic dans son esprit. Il faut dire que l'imitation du docteur Mac Laine était quasiment parfaite. Le Comique avait plus d'un tour dans son sac.

« Très bien. L'inspiration... »

À chaque syllabe, les images pâlissaient, les bruits s'assourdissaient et les sensations désagréables se modifiaient dans son corps. Les plaies, les coups se rejoignaient en un flot nauséabond pour s'écouler progressivement par le bout de ses doigts. Bientôt, ses muscles se détendirent, le rythme de son cœur ralentit et une sorte de bulle se matérialisa dans l'habitacle de la voiture tandis que la Shibatsu se teintait de rose.

« ... l'expiration. Parfait. »

Le film ralentissait, puis il se mit à hoqueter pour finalement disparaître dans un éclair de feu.

« Continue... »

Adam sentit que son corps se relâchait, que l'enfant retournait dans les tréfonds de sa mémoire. Il s'apaisait.

Il ouvrit les yeux. Il était assis en tailleur, sur son lit.

Face à lui, Rachel, les épaules secouées de sanglots. La tête baissée, les yeux dissimulés par ses longues mèches noires, elle avait posé ses mains sur les siennes. Derrière, on devinait la silhouette décharnée d'Alex.

Adam reprenait pied dans la réalité. Il était revenu dans le Centre.

Il se concentra sur le contact de la jeune fille, ces caresses automatiques qu'elle lui prodiguait tout en s'efforçant de calmer ses propres pleurs. Il aurait voulu la rassurer, la prendre dans ses bras mais son corps refusait de lui obéir.

« L'inspiration... »

Quelque chose le retenait encore, une étrange sensation qui emprisonnait son esprit. Un détail, un fragment de mémoire. Il fallait y retourner.

...

Le métal de l'habitacle crissait contre l'asphalte. Le pare-brise, maculé de sang, ressemblait à une plaie ouverte. L'enfant voulut crier mais la ceinture de sécurité écrasait sa cage thoracique, le privant d'air. Il n'y avait plus de haut, plus de bas, juste un tas de tôle rebondissant sur le goudron détrempé.

Malgré la douleur qui éclatait partout dans son corps, l'enfant enregistrait le moindre détail : le mouvement flasque de la nuque de sa mère, le visage dégoulinant de sueur de son père et cette mystérieuse voiture noire qu'ils venaient de heurter.

Une Shibatsu, sans aucun doute. Pleins phares, fonçant sur eux. Sous la pluie. Stop.

« L'expiration... »

Adam s'était mis en auto-hypnose. Il pouvait ainsi contempler la scène tout en maintenant une distance raisonnable. Bientôt, il pourrait intervenir, rassurer l'enfant pris dans l'accident.

Lorsque le garçon reprit conscience, il n'y avait plus rien. Ni souffrance ni odeur. Seulement la nuque de sa mère, lacérée de ses mèches blondes, et le silence.

Adam était dans le véhicule à présent, juste à côté de l'enfant, au cœur de cet espace hypnotique qu'il avait réussi à créer.

L'adolescent savait que tout ce qu'il était en train de vivre n'était qu'une construction de son esprit. Mais le docteur Mac Laine lui avait appris à utiliser cet état pour repousser ses symptômes, apaiser ses angoisses. Une technique imparable qu'il s'efforçait d'appliquer pour rendre ses souvenirs moins douloureux.

Adam se pencha par-dessus l'épaule du jeune garçon. Lui aussi voulait voir. Mais l'image tremblait, hésitait, comme celle d'un vieux téléviseur mal réglé. Il s'approcha tandis que son souffle s'emballait de nouveau.

« L'inspiration... »

Le sourire de sa mère était étrange, décalé par rapport au reste de ses traits. L'adolescent avança la main. Là, il y avait comme un accroc. Il passa ses doigts sur sa joue... et son visage se décolla !

Sous le masque qui avait été sa mère apparaissait une autre femme qu'il ne connaissait pas...

Cette fois-ci, ni l'hypnose, ni le contact de Rachel, ni même la présence d'Alex ne purent éviter la crise.

« Eh ouais, coco, c'est comme ça... Quand c'est trop, c'est trop. Parfois, la folie est la seule réponse appropriée à la réalité, comme disait le grand homme... »

Séquence 05 **SONS OF ANARCHY**

« Better keep your eyes on the road ahead,
Gotta live this life,
Gotta look this world in the eye,
Gotta live this life until you die. »

CURTIS STIGERS

« **A**dam, reviens, s'il te plaît. Reviens... »

Rachel.

La jeune femme maintenait fermement le visage d'Adam, les deux mains crispées sur ses tempes. Dès les premières convulsions, elle s'était précipitée pour l'immobiliser. Elle avait pesé de tout son corps durant la crise et, à présent que les spasmes s'apaisaient, elle tentait de reprendre son souffle entre deux sanglots. Adam pouvait sentir les battements de son cœur à travers son chemisier, la chaleur de sa poitrine, le sel de ses larmes, de sa sueur.

« Adam... Je t'en prie...

— Je suis là. »

Rachel sursauta, surprise par la voix éraillée de son ami. Elle se redressa, rompit le contact physique et, d'un geste rapide, s'essuya les yeux.

D'un mouvement de la tête, elle dissimula ses pommettes empourprées derrière le voile noir de ses cheveux.

« Je...

— Qu'est-ce qui s'est passé ? » coupa Adam pour dissiper l'embarras de la jeune femme.

Rachel écarta ses mèches pour le regarder.

« J'en sais rien... Alex ne comprend pas... Enfin, plus exactement, je ne comprends rien à ce qu'il marmonne. Lorsque je l'ai trouvé dans sa chambre, il se balançait face au mur en répétant que tu ne reviendrais jamais... »

Adam fronça les sourcils, il avait du mal à reprendre pied dans la réalité. Trop d'images tournaient encore dans sa tête. Sa mère, une voiture noire, la moto et ce goût de sang au fond de la gorge.

« On était en train de jouer ou un truc comme ça, non ?

— Exact. J'ai même pu suivre tes derniers exploits sur l'écran d'Alex et ton... ta sortie de route. Alors, j'ai tout éteint et je l'ai traîné jusqu'ici avec moi. Quand on est arrivés dans ta chambre, tu étais encore connecté. On t'a secoué mais tu ne réagissais pas et d'un seul coup, tu as eu une crise...

— Quelqu'un est au courant ?

— Non. »

Adam émergeait. Son esprit s'extirpait du bref coma épileptique dans lequel il avait été plongé. Il était de nouveau capable d'analyser les sensations, les informations qui affluaient.

Rachel le couvait d'un étrange regard, mélange de compassion et d'un autre sentiment que l'adolescent ne parvenait pas à identifier. Elle semblait hésiter. Son corps, sa poitrine étaient tendus vers lui mais ses mains entortillaient les draps comme pour s'empêcher d'avancer.

Ils ne disaient toujours rien, perdus l'un dans l'autre.

Adam n'arrivait pas à se détacher du visage de Rachel. Il en scrutait, sans le vouloir vraiment, les moindres détails. Ce minuscule grain de beauté, au coin de ses lèvres, et cette fossette qui creusait sa joue. Une chaleur inhabituelle s'installa au creux de son ventre.

Il voulut parler mais sa mâchoire se mit à trembler comme si la température avait soudain chuté en dessous de zéro. Quelque part dans son corps, l'adrénaline achevait de se répandre et une sueur glacée, âcre, le recouvrit.

Ce fut comme un signal.

Rachel s'approcha et referma ses bras sur lui pour le bercer.

Adam n'osait plus bouger.

Il s'enivrait de l'odeur de sa peau, cette touche de vanille s'exhalant de ses pores et cette discrète fragrance de sucre caramélisé dans son cou. Il sentait aussi les mains qui caressaient ses cheveux. Plus il se concentrait sur ce contact, plus il s'apaisait.

Et une curieuse sensation lovée autour de son cœur provoqua d'étranges picotements, un sentiment au-delà de l'amitié...

« Alex, tu en penses quoi ? » demanda Adam en sortant de la douche.

Enveloppé dans un épais peignoir, il rejoignit ses deux amis.

Alex était perché sur le bord du lit, en équilibre comme un oiseau sur une branche, se balançant d'avant en arrière. Son visage était aussi expressif qu'une statue de cire et ses doigts se tordaient selon des angles impossibles. Il transpirait l'angoisse. Adam se surprit à compter ses propres battements de cœur. Même Rachel se tenait à distance.

« Alex, ce n'est pas de ta faute... »

L'adolescent ne décrochait pas le moindre son mais ses lèvres remuaient compulsivement. Adam se pencha jusqu'à la bouche de son ami et y colla son oreille.

« Impossible-le-système-est-parfaitement-étanche-il-n'existe-aucune-faille-j'ai-vérifié-j'ai-vérifié-j'ai-vérifié-il-ne-peut-s'agir-que-d'un-artefact-un-bug-du-logiciel-impossible-le-système-est...

— Alex ! »

Mais les phrases tournaient en boucle, paralysant toute capacité de raisonnement.

« Rachel, tu as une idée ? »

La jeune femme haussa les épaules. Elle avait déjà du mal à contenir ses émotions et s'efforçait de ne pas regarder les cicatrices – stigmates de ses propres inquiétudes – sur ses poignets.

« Il n'y a rien à faire quand il est comme ça, faut juste attendre que ça passe... Et encore, là il est "bien". Tu l'aurais vu tout à l'heure quand je l'ai découvert...

— Merde ! Faudrait pas prévenir quelqu'un ? Appeler les infirmières ? »

Rachel le regarda comme s'il venait de prononcer une phrase funeste.

« Tu rigoles, j'espère ? Et comment tu comptes expliquer ce que nous faisons dans ta chambre ? Tu vas dire à Grüber qu'Alex a piraté le système pour que vous puissiez jouer sur la Toile en utilisant vos nanobots pour booster vos perfs ? »

La jeune femme s'était levée, s'énervait.

« Tu tiens vraiment à ce qu'on finisse tous en iso ?

— Mais...

— Tais-toi ! »

L'injonction avait claqué telle une explosion miniature. Rachel parcourait la chambre de long en large, en proie à une colère irrépressible. Ses avant-bras s'étaient couverts de striures blanches, tandis que ses ongles se chargeaient d'éclats sanguins.

Alex avait glissé sur le sol et il se rapprochait dange-
reusement du mur.

« Alex, ça suffit ! » ordonna-t-elle.

Les deux garçons se figèrent, surpris.

Rachel respirait fort, transpirait. Elle faisait un effort
pour ne pas quitter la pièce et se réfugier dans sa propre
chambre. Adam aurait voulu l'aider, la prendre dans ses
bras à son tour, mais il n'osait pas. Il savait que la jeune
femme le repousserait, que c'était elle qui choisissait celui
qui avait le droit de la toucher.

« Une rémanence... » commença doucement Alex.

L'adolescent se leva, se rapprocha de Rachel et posa les
mains sur ses épaules. Le bout de ses doigts tremblait.
D'ordinaire, Alex n'approchait jamais personne intention-
nellement.

« Qu'est-ce que tu f...

— La rémanence est un phénomène physique qui
concerne de nombreux domaines. Il désigne aussi bien
la persistance de l'aimantation d'un barreau de fer qui
a été soumis à un champ magnétique que le temps de
réponse des pixels sur un écran ou encore...

— Alex, fais simple, s'il te plaît.

— Disons que par analogie, la rémanence désigne toute
persistance d'un état malgré la disparition de sa cause.

— Je ne comprends pas...

— Il se pourrait que le cerveau d'Adam ait conservé
un souvenir, une bribe de son passé qui est ressor-
tie sous l'influence du stress. Et comme nous étions
connectés directement, les informations n'ont pas été
filtrées...

— Tu veux dire que j'aurais créé moi-même Poursuiveur 3 ? » s'exclama Adam.

C'est logique, ça expliquerait la présence de la Shibatsu dans le jeu puis les flashes... Mes parents, l'accident... Mais alors, qui est cette femme avec le visage de ma mère ?

Adam songeait aux implications de l'hypothèse d'Alex. Et surtout, il venait d'avoir une idée. Une idée complètement folle mais qui valait peut-être le coup.

« Alex, reprit-il, ce phénomène-là... Cette... rémanence, ça peut se reproduire ?

— J'en sais rien. Sur le plan théorique, je suppose que oui... Pourquoi ?

— Eh bien, on pourrait peut-être revoir Charles comme ça, non ? Je veux dire que si mon cerveau a pu générer Poursuiveur 3 à partir de mes souvenirs, il doit pouvoir "retrouver" Charles et le matérialiser dans l'Inside... »

Rachel fixa Adam avec stupeur. Elle avait compris.

« Tu penses qu'en retournant dans l'Inside, en chargeant la session avec le pervers, on pourrait en apprendre plus ?

— Tu voulais y retourner de toute façon.

— C'est vrai, mais...

— Eh bien, cette fois-ci, on sait précisément ce qu'on va chercher... Tu penses être capable de nous faire plonger ? »

La jeune femme réfléchit. Elle avait passé de nombreuses heures dans les faux plafonds à espionner Max et le docteur Grüber. Elle connaissait grossièrement les protocoles, savait comment brancher les connecteurs, démarrer le serveur. En revanche, elle ignorait ce qu'elle devait faire ensuite. Mais il s'agissait de Charles... Le jeu en valait la chandelle.

« Oui, répondit-elle.

— Alors, on va tenter le coup... Cette nuit !

— Cette nuit, vraiment ? »

La voix les fit sursauter tous les trois. Dans un même mouvement, ils se tournèrent vers la porte de la chambre.

« Et on peut savoir ce que vous allez faire cette nuit ? » demanda Jason, un large sourire accroché aux lèvres.

Séquence 06 DOULEUR

« Arrache-moi les yeux
Que je ne puisse plus voir
Arrache-moi les mains
Que je ne puisse toucher
Arrache-moi les ongles
La douleur jusqu'au bout des doigts... »

LOUISE ATTAQUE

Un léger tremblement, une infime contraction de la paupière inférieure, toutes les cinq secondes. C'était l'unique stigmate trahissant la fatigue du docteur Grüber.

Cela faisait deux heures qu'il était assis dans ce bureau saturé de sueur et d'humidité, ces quelques mètres carrés bétonnés à la va-vite de la salle d'interrogatoire.

Deux heures que le médecin n'avait pas desserré les mâchoires, qu'il n'avait quasiment pas avalé sa salive, qu'il restait figé comme une statue de sel depuis l'exacte seconde où l'inspecteur Tovic lui avait signifié sa mise en examen pour « enlèvement, séquestration et probable torture sur mineure ». Sa fille.

Melody.

« Docteur Grüber ?

— ... »

Inlassablement, Tovic revenait à la charge. Il scrutait son interlocuteur, cherchant la faille, le moindre signe d'usure tout en brandissant sous son nez le dossier estampillé « Affaire Grüber ».

Durant quelques instants, il emplissait le silence de ses accents traînants, de ses « r » roulés et de ses hésitations factices. Il soliloquait, ébauchant hypothèse sur hypothèse comme s'il était seul devant son miroir. Il semblait attendre une approbation, un mouvement des lèvres, un tressautement. Un indice qui lui montrerait la bonne direction. Mais le psychiatre avait décidé de ne pas lâcher.

L'inspecteur avait pourtant tout essayé : les menaces, la compassion, la froideur, tout... Enfin presque. Il y avait encore cet ange minuscule qui attendait son heure au fond de son sac plastique réglementaire. Un objet qu'il avait subtilisé au laboratoire, une petite entorse à la procédure.

« Docteur Grüber... Je pense que nous avons suffisamment joué au chat et à la souris, à présent... »

La voix s'était adoucie. Juste ce qu'il fallait pour atténuer la provocation qui affleurait. Tovic posa ses deux énormes mains sur la table qui séparait les deux adversaires. Il inspira profondément avant de pousser sur ses biceps et de mobiliser son corps amolli par la paperasse.

« Je vais vous montrer quelque chose », ajouta-t-il en se levant.

Il se dirigea vers l'un des angles de la pièce, tirant sa chaise derrière lui. Les pieds métalliques raclèrent les carreaux ébréchés, leur arrachant une plainte aiguë.

Hans Grüber s'efforçait de ne pas bouger mais l'inspecteur avait piqué sa curiosité. Il tourna la tête. Perché sur sa chaise, Tovic dévissait avec une lenteur irréelle le câble de la caméra qui couvrait la salle d'interrogatoire.

« Voilà... Comme ça personne ne pourra m'accuser d'avoir enfreint le règlement... Ce sera votre parole contre la mienne... »

Grüber tressaillit. Il s'était juré de ne pas parler. Ne rien dire tant qu'il n'aurait pas de nouvelles de Melody.

Tovic revint vers lui et déposa un sachet translucide sur la table.

« Docteur Grüber, reconnaissez-vous ceci ? »

Évidemment qu'il avait identifié l'ange minuscule recroquevillé dans la pochette plastique. C'était le piercing que Melody s'était fait poser en cachette, pour ses quatorze ans !

Le psychiatre avait découvert le bijou, un matin, sur la tablette de la salle de bains. Comme à son habitude, il était resté silencieux. Il avait tiré la porte, actionné le loquet et s'était assis sur le vieux bidet. Déstabilisé, il avait contemplé l'objet durant de longues minutes.

Ce jour-là, il avait vieilli de dix ans. La petite fille aux grands yeux curieux, aux couettes démesurées avait implosé dans sa tête. Melody était une jeune femme et il ne l'avait pas vue grandir. Depuis le départ de son épouse, elle s'était coulée dans sa vie sans jamais se faire remarquer. Et ce piercing était en train de lui hurler qu'il était passé à côté d'elle. Grüber s'était levé pour regarder son propre visage. Il avait vu les traces profondes que le temps avait gravées au coin de ses yeux, le sel dans sa barbe et ses cheveux.

Depuis combien de temps avait-il cessé de vivre ?

« Docteur Grüber ? »

La voix de l'inspecteur tentait de se frayer un chemin, d'atteindre le médecin. Ce dernier jeta un regard vide sur le policier.

Quelque chose l'empêchait de répondre.

Quelque chose qui venait de planter ses griffes au plus profond de ses entrailles et qui fouillait, déchiquetant son estomac, remontant vers la poitrine, se précipitant sur l'organe palpitant.

Le docteur Grüber referma son poing sur son cœur, à l'endroit précis où la douleur venait d'exploser. Une goutte de sueur s'écrasa sur le Formica de la table d'interrogatoire.

Le visage du flic s'affaissa.

« Vous allez bien ?

— Ça va passer... » répondit le psychiatre d'une voix blanchie par la souffrance.

Il se laissa retomber en arrière sur le dossier de sa chaise.

« Melody... Elle est ? »

L'inspecteur prit son temps pour répondre.

Il jaugeait son adversaire. À la vue du piercing, le comportement de Grüber s'était sans aucun doute modifié. Le médecin semblait troublé mais Tovic se méfiait, il connaissait la réputation de Grüber : un des esprits les plus affûtés de sa génération. Un criminologue hors pair, au-dessus de tout soupçon...

Et pourtant...

Pourtant les indices s'accumulaient, tout convergeait vers ce père irréprochable. Il ne restait plus qu'à obtenir des aveux et l'inspecteur pourrait passer un week-end tranquille dans sa résidence secondaire auprès de son adipeuse épouse.

L'ange l'avait déstabilisé. Il fallait poursuivre dans cette direction.

Tovic se mit à jouer négligemment avec le bijou.

« Inspecteur, allez-vous me répondre ? reprit Grüber. Qu'est-il arrivé à Melody ? »

Le médecin s'efforçait de garder son calme, de ne pas poser les yeux sur les doigts tachés de nicotine qui tripotaient le piercing de sa fille, d'oublier cette colère qui montait en lui.

« Inspecteur ! »

Mais Tovic gardait le silence. Le psychiatre explosa.

« Cessez immédiatement ! »

Grüber s'était levé d'un coup, se contenant pour ne pas écraser son poing sur le masque flasque de son adversaire.

Tovic sourit intérieurement, il avait senti que le psychiatre perdait le contrôle.

« Veuillez m'excuser », déclara-t-il d'un ton mielleux.

Il posa le bijou au milieu de la table.

« Rasseyez-vous, docteur, je vous en prie...

— Dites-moi ce qui est arrivé à Melody ! »

Hans Grüber tremblait de tous ses membres tandis que la douleur progressait. Un poignard dont le manche vibrait au rythme de son cœur, une lame qui descendait progressivement vers ses poignets. Sa chemise blanche s'était couverte d'auréoles.

« Nous l'ignorons mais...

— Mais ?

— Nous avons retrouvé les affaires de votre fille... Elle se rendait à une soirée, vous le saviez ?

— Où ?

— Chez une amie...

— Non, je veux dire où avez-vous retrouvé les affaires de ma fille ?

— Dans un appartement. Une adresse que vous connaissez parfaitement... »

Le docteur Grüber se pencha au-dessus du Formica pour coller son visage contre celui du flic.

« À quel jeu jouez-vous, inspecteur ?

— Et vous, docteur ? répondit Tovic sans se démonter. Asseyez-vous et changez de ton avec moi... À moins que vous ne souhaitiez aggraver un peu plus votre cas ?

— Aggraver mon cas ? Mais vous rigolez ? C'est MA fille qui a disparu ! Vous me montrez un piercing, vous me racontez des horreurs et maintenant vous m'accusez !

— C'est effectivement VOTRE fille... La question est : qu'en avez-VOUS fait ?

— Je... je veux parler à mon avocat. »

Le médecin se laissa retomber sur sa chaise, les yeux rivés vers le sol, les épaules voûtées.

Le flic jubilait.

Il savait ce que signifiait cette phrase, il l'avait entendue des centaines de fois.

Elle signait le moment où le suspect commençait à craquer, où ses défenses se fissuraient. Quelques minutes fragiles, éphémères, qu'il fallait savoir saisir sous peine de laisser l'accusé se reprendre, échafauder une nouvelle stratégie. À partir de cet instant, il fallait progresser en douceur, surprendre de nouveau tout en amadouant. Insister ne ferait que rétablir la méfiance de l'adversaire.

« Voulez-vous un café, docteur ?

— Allez vous faire foutre ! »

Tovic n'eut pas le temps de répondre, interrompu par le carillon insupportable de son téléphone. Il grommela quelques paroles informes dans le combiné sans quitter le médecin des yeux. Puis il écrasa un pouce rageur sur l'icône rouge pour raccrocher.

« Je suis désolé, une urgence...

— Mais... ? »

La porte de la salle d'interrogatoire claqua avant que Grüber ne puisse ajouter quoi que ce soit. Il patienta quelques secondes puis releva la tête. Dans son regard, il n'y avait rien d'autre que de la colère et de la détermination.

Il se saisit du dossier abandonné par Tovic sur la table. Le psychiatre n'était pas dupe, il se doutait que c'était un piège, une sorte de stratégie niveau Psychologie Mag. Mais *il fallait qu'il sache. Il ouvrit sans hésitation la pochette de mauvais carton griffée « Affaire Grüber ».*

Il parcourut rapidement la liste qui détaillait le contenu du dossier, glissa sur les quelques rapports préliminaires de Tovic. Le flic avait titillé sa curiosité avec cette histoire d'appartement.

Il accéléra l'examen des pièces.

Soudain, deux clichés photographiques glissèrent sur la table. Des gros plans de petits sacs en plastique soigneusement scellés. À l'intérieur...

Non !

Le psychiatre retourna les photos. Une suite de chiffres sans doute destinée à faciliter le classement.

Non !

Il devait trouver le rapport de l'anatomopathologiste.

Non !

« L'examen attentif du colis reçu par la poste au commissariat s'est révélé stérile. En effet, l'expéditeur a pris soin de n'utiliser que des matériaux anodins (boîte en carton, papier kraft, sachets de congélation) trop largement distribués pour en déterminer l'origine. Par ailleurs, nous n'avons relevé aucune empreinte, ni retrouvé de matériel susceptible de bénéficier d'une analyse ADN.

En revanche, le contenu des deux sachets de congélation est bien d'origine humaine. Le caryotype permet d'affirmer que la victime est une femme.

Le piercing... »

STOP !

Grüber se redressa. Continuer lui semblait au-dessus de ses forces. Mais il fallait qu'il trouve cette fameuse adresse évoquée par Tovic.

Il inspira profondément, se remit à feuilleter le rapport et...

« PERQUISITION EFFECTUÉE AU 10, AVENUE F. THILLIEZ... »

Sa main se referma sur son cœur. La douleur explosa de nouveau, paralysant tout le côté gauche, de l'angle de la mâchoire au poignet.

Cette adresse, bien évidemment qu'il la connaissait : c'était là où l'on avait découvert le corps du docteur Viviane Haker... Sa maîtresse.

Hans Grüber gémit puis s'effondra sur la table, terrassé par une crise cardiaque, le visage à quelques centimètres de l'ange doré...

Séquence 07 **DEEPLY DISTURBED**

« And I'm deeply disturbed
And I'm deeply unhappy
And I'm deeply disturbed
And I'm deeply unhappy
And I'm deeply disturbed
And I'm deeply unhappy
And I'm deeply disturbed
And I'm deeply unhappy »

INFECTED MUSHROOM

Jason ne parlait pas, il cognait. Dur.

Chacun de ses mots vous percutait de plein fouet, là où ça faisait le plus mal.

Il avait un don pour cela et il l'utilisait pour faire régner la terreur dans le Centre. Personne ne pouvait lui échapper.

Pas même les adultes.

Mais ses mots n'étaient rien à côté de ses poings. Deux mains longilignes, repliées comme des araignées sur le point de bondir, les articulations blanchies par la colère.

Jason ne parlait pas, il cognait, jusqu'à ce que sa victime se plie à sa volonté.

À peine sorti de l'iso, il avait disparu. Envolé, évanoui. Loin du regard des infirmiers, loin des caméras. L'adolescent était un véritable courant d'air. On le pensait dans sa chambre, et soudain, il se matérialisait à côté de vous. À cet instant précis, vous lui apparteniez.

Après son irruption dans la chambre d'Adam, Jason s'était de nouveau volatilisé. Personne ne l'avait croisé au réfectoire mais ni Rachel ni les autres n'avaient jugé utile d'informer les infirmiers de ce qui s'était passé quelques minutes plus tôt. Il aurait fallu répondre à des tas de questions embarrassantes.

Sous l'impulsion de la jeune femme, Vince, Alex et Adam s'étaient brièvement réunis pour reparler de l'immersion dans l'Inside, de l'espoir de revoir Charles, peut-être. Puis, tout le monde avait réintégré ses quartiers, attendant sagement l'extinction des feux.

Mais Jason rôdait.

Il s'était fondu dans les ombres, dissimulé dans les gaines techniques, il était devenu le Centre. Sa silhouette émaciée s'était coulée le long des murs, progressant d'angle mort en angle mort. Depuis son arrivée, le jeune homme avait mémorisé l'emplacement de chaque caméra, analysé l'étendue de leur champ de vision, calculé leur débattement.

Jason B., 17 ans, 1 m 92, avait été sauvé *in extremis* de la prison par le docteur Grüber, au grand étonnement de tout le monde.

« Et vous comptez en faire quoi ? » avait demandé l'un des confrères du médecin durant la commission d'orientation à laquelle il participait à titre expérimental.

Le psychiatre avait posé ses lunettes sur la table, puis s'était massé les tempes un long moment avant de répondre.

« Autre chose qu'une bête en cage... »

Jason avait relevé la tête, lentement.

Il avait planté ses yeux noirs dans ceux de Grüber puis avait souri. Pour la première fois de sa vie, un adulte lui proposait une alternative à l'enfermement ou aux coups. Son sourire dura une seconde à peine.

Impossible ! On ne peut pas faire confiance aux adultes... avait-il aussitôt pensé. Et il s'était mis à tirer sur les menottes qui l'immobilisaient sur son siège. Il avait craché en direction des membres de la commission, exhibé les cicatrices de son crâne rasé et lâché un flot d'insanités sans queue ni tête.

« Vous êtes sûr ? » avait insisté le juge d'application des peines en se tournant vers le psychiatre.

Celui-ci n'avait rien ajouté. Il s'était levé, s'était dirigé droit vers le futur détenu qui s'agitait sur sa chaise. Le métal entamait ses poignets dénudés.

Hans Grüber s'était arrêté à quelques centimètres de Jason, puis adressé aux deux policiers affectés à sa garde.

« Pouvez-vous le détacher, s'il vous plaît ? »

Un ange chargé de crainte était passé, déposant sur les membres de la commission, sur Jason lui-même, un masque de stupeur.

« Que... que voulez-vous faire ? avait demandé le juge.

— Lui donner le choix, un véritable choix...

— Vous êtes sûr ?

— Certain. »

Les flics s'étaient approchés, avaient détaché les menottes puis avaient reculé d'un pas.

« Alors ? » avait questionné Grüber.

En guise de réponse, le jeune homme s'était jeté sur le psychiatre pour le saisir à la gorge. Mais ce dernier était resté parfaitement immobile. Il avait juste murmuré quelques mots, une phrase que seul Jason put entendre.

« Vas-y, fiston, fais-toi plaisir... Deviens celui que tu détestes le plus... C'est tellement plus facile... »

Jason s'était figé, estomaqué par cet homme qui le défiait, cet adulte qui n'avait pas peur de lui et osait supporter son regard.

Alors, il s'était laissé emmener dans ce Centre mystérieux.

Juste pour voir.

Depuis son arrivée, Jason testait. Tout et tout le monde, à l'exception du docteur Grüber et de quelques adultes.

Il manipulait, mentait, cherchant les limites.

La phase d'apprivoisement était loin d'être terminée et Adam en faisait les frais.

« Alors, le schizo, on se décide à parler ? »

L'adolescent s'était recroquevillé dans un coin de sa chambre. Il attendait que l'orage passe. Il savait que la violence finissait toujours par s'arrêter, c'était physiologique.

Au début, Jason n'avait pas prononcé la moindre parole, terrifiant ainsi sa victime avant de l'interroger.

« Hé, le schizo, je te parle ! Qu'est-ce qui se passe, ce soir ? »

Les coups avaient cessé et Adam avait refermé les poings au fond de ses poches, son étoffe fétiche enroulée autour des doigts. Les mâchoires crispées, il hésitait.

« Réponds ! Réponds ou je recommence ! » hurla Jason.

S'il se rebellait maintenant, il n'avait aucune chance.

« Qu'est-ce que tu attends, le débile ? Fais quelque chose ! »

Docteur Jekyll. Toujours au mauvais moment.

« Tu vois bien qu'il est incapable de réagir... Ce n'est qu'un minable... »

Miss Hyde, à présent. Le couple infernal était revenu aussi vite qu'il s'était dissipé. Adam inspira profondément pour chasser ces voix qui le hantaient toujours. *Saloperie de maladie !*

« Qu'est-ce que vous tramez, bon sang ? »

Jason était au-dessus de lui. Le visage déformé par la colère, il était prêt à fondre de nouveau sur cette proie qui refusait de lui obéir.

« Réponds ! Vite ! Si tu réponds, tout s'arrête... Que voulais-tu faire avec Rachel ? »

Rachel ?

Adam avait noté le discret changement de ton, le léger tremblement dans la voix de son adversaire lorsqu'il avait prononcé le prénom de son amie.

« Allez, lève-toi ! intima Jekyll. Fous-lui une raclée... Ne reste pas là comme une poule mouillée !

— Tu rigoles, c'est bien la seule chose qu'il est capable de faire... D'ailleurs, je suis sûre qu'il a déjà fait dans sa culotte... »

L'adolescent n'écoutait plus. Ni Hyde, ni Jekyll, ni même Jason. Son esprit s'était focalisé sur une sensation étrange, ce courant d'air glacé venu de nulle part qui hérissait sa peau depuis quelques secondes.

Un filet de froid sec pénétra l'atmosphère tiède et aseptisée du Centre, comme si l'on avait ouvert une fenêtre dans sa chambre. Il y avait cette lueur aussi, identique à celle qui émanait de son mur-écran lorsqu'il était allumé...

« Réponds, le schizo, réponds ou je vais te faire mal... C'est ta dernière chance... Trois... »

Comme te faisait ton beau-père.

La pensée, incongrue, venait de se former dans l'esprit d'Adam. L'adolescent ne comprenait rien à ce qui lui arrivait. D'abord les voix, puis cette lumière et maintenant cette phrase...

« Deux... »

Adam avait fermé les yeux. Il s'efforçait d'analyser tous ces phénomènes, de les rationaliser. La maladie ne pouvait tout expliquer.

« Un... »

Le froid s'intensifia et le jingle de la messagerie de son Term retentit : Rachel ou Alex ?

« Qu'est-ce que c'est que ce bordel ? » s'exclama soudain Jason.

Adam ouvrit les yeux.

Une bourrasque gelée se leva, déposant quelques poussières de glace sur la moquette.

La Yuki-Onna ?

Jason s'était retourné, il regardait dans la direction de l'écran, les épaules recouvertes d'une fine couche de neige. Bouche bée, il ne bougeait plus, subjugué par un spectacle qu'Adam ne pouvait voir.

« Et voilà la Yuki-Machin qui pointe le bout de son nez maintenant... On aura tout vu ! »

« Jason ! Qu'est-ce que tu fous là ? »

Rachel ! ?

C'était bien la jeune femme, probablement via le logiciel pirate de dialogue en direct installé par Alex.

« Mais ? »

Jason semblait désemparé.

« Où est Adam ? cria-t-elle. Je te préviens, si... »

Elle s'interrompit en voyant son ami se lever avec difficulté, une ride de douleur barrant son front. Ce dernier tenta un sourire pour la rassurer.

« Merde, Jason, mais qu'est-ce que t'as encore fait ? »

Le jeune homme ne répondit pas. Il se tenait tête baissée, les épaules secouées de sanglots.

« Je suis désolé, Rachel », lâcha-t-il avant de disparaître.

Jason désolé ? Jason en pleurs ?

Décidément, Adam ne comprenait plus rien. Il se précipita sur sa porte, la claqua avant de bloquer la poignée avec une chaise.

« Qu'est-ce qu'il t'a fait ? insista Rachel.

— Rien... Rien de bien grave... » répondit-il en détournant le regard.

Il avait besoin de reprendre ses esprits.

« Tu rigoles ?

— Laisse tomber, ce n'est pas grand-chose...

— Il va me le payer, reprit-elle.

— Tu vas le dénoncer ? »

Rachel hésita une seconde. Adam aurait juré que ses pommettes s'étaient colorées de rouge.

« Non, il y a d'autres moyens...

— Tu veux que l'on en parle aux autres ?

— Non ! Je vais régler ça toute seule ! »

Adam n'insista pas. Il se moucha bruyamment et tenta de reprendre la conversation sans faire transparaître son malaise.

« Au fait, qu'est-ce que tu voulais ?

— Juste te dire qu'on ne plongera pas ce soir... »

L'adolescent soupira. Cette décision le rassurait. Il avait besoin de repos avant d'affronter l'Inside, de se retrouver face au fantôme de Charles.

« Tu es certaine de savoir te servir de la machine ?

— C'est pas ça le problème... Le problème est plutôt de savoir quand notre absence passera inaperçue dans le Centre...

— Il nous faut combien de temps ?

— Environ deux heures.

— Tu plonges avec moi ?

— Je sais pas... Ça va dépendre d'Alex... S'il est bien, pas de souci mais s'il est aussi perturbé qu'aujourd'hui... Il risque de nous laisser à l'intérieur en se tapant la tête contre les écrans... »

Adam n'avait jamais plongé seul au cœur de l'Inside. D'ordinaire, pour les séances thérapeutiques, on ne visitait la zone virtuelle qu'en compagnie d'un psychiatre. C'était même le principe du traitement : comme l'Inside réagissait au psychisme du patient, le médecin l'aidait à le restructurer.

« Adam, tu as peur ? » murmura Rachel.

Une question qui n'attendait pas vraiment de réponse.

*

Ailleurs dans le Centre, même heure...

« Alerte. Anomalie structurelle, secteur 4. Isolement des serveurs 6 et 8. En attente de nouvelles instructions... »

La voix de Pris – l'intelligence artificielle programmée par Max – avait beau être agréable, l'informaticien sursauta.

Malgré le sifflement des disques durs, il s'était endormi devant ses bécanes. Comme à son habitude, il n'était pas sorti du Centre. Il s'était réfugié dans le local qu'il avait aménagé en toute discrétion dans l'immense salle des serveurs. Il préférait le ronronnement de ses machines à l'agitation de ses semblables, en ville.

Le docteur Grüber savait que son ingénieur passait la plupart de ses nuits auprès de ses terminaux mais il tolérait cette petite entorse au règlement.

« Analyse en cours... »

Le programmeur rajusta ses lunettes puis ébouriffa l'incroyable masse de cheveux qui couronnait son crâne.

« Qu'est-ce que tu en penses, Pris ? Ça vient de l'Extérieur ?

— Non. Mais je détecte la présence d'un Métamorph[1] très évolué. Sa période de mutation est inférieure à une milliseconde.

---

1. Métamorph : virus informatique capable de s'adapter très rapidement afin de tromper les logiciels antiviraux.

— Tu peux l'isoler ?

— Pas encore mais je peux le traquer.

— Dès que tu as quelque chose, bipe-moi... On va faire une petite surprise à ceux qui se sont introduits dans le système, une surprise qu'ils ne sont pas près d'oublier... »

Séquence 08 **THE TRUTH IS OUT THERE**

« I found a truth beneath a lie
Buried deep, explain me why
The world is upside down...
I do not know a soul in here
But I can remember the faces...
And the truth is in their eyes... »

SONATA ARCTICA

Des cris, par milliers.

Des chants pour combler le silence, tromper l'attente. La foule trépignait, bruyante, mouvante. Les pieds frappaient le sol, les gorges hurlaient, certains perdaient connaissance. Et la clameur enflait, démesurée, faisant vibrer chaque particule de la nuit tiède au pied du Cœur rouge[1] de l'Australie.

Alors vint la musique.

L'assemblée se mit à chavirer au rythme lancinant des premières ondes synthétiques, de ces notes à peine effleurées, presque murmurées. Au fond de l'immense arène, six lettres griffèrent l'écran géant de leurs lueurs sanguines : Daiichi[2], sombre numéro un.

Puis les bras se levèrent, les doigts se tendirent en ombres démesurées sur les murs encerclant la scène. Et

1. Uluru, plus connue sous le nom d'Ayers Rock, est une montagne rouge en plein cœur du désert australien, sacrée pour les Aborigènes.
2. Référence à l'accident de la centrale de Fukushima Daiichi (autrement appelée Fukushima I) survenu le 11 mars 2011.

toujours cette mélodie, obsédante, envoûtante, serpentant dans la foule.

Ensuite vint le *beat*, sourd, puissant, semblable à une salve d'explosions à peine étouffées, faisant taire les cris. Ne restèrent plus que les accords sophistiqués des pianos électroniques et... les Sons !

Quatre démons surgissant d'un enfer rougeoyant projeté sur les écrans en clichés déformés.

Daiichi : un concert d'anthologie, organisé malgré les interdictions. Pour se souvenir que d'autres catastrophes avaient suivi en dépit des avertissements et des bonnes intentions. Un hommage à ce premier cataclysme nucléaire du nouveau millénaire, sur les côtes japonaises, une cérémonie monstre organisée en terre aborigène, faute d'accord nippon.

Enfin, rugirent les guitares. Et surgit Angus Dark – 2 m 01, tatouage blanc d'un dragon décolorant sa peau noire –, le chanteur des Scarfs, groupe emblématique et engagé. Dissimulé derrière sa voix, il avançait lentement, au rythme de son chant suraigu.

Un timbre surnaturel.

Le « Concert pour les Âmes déchues », la plus grande performance de tous les temps. Les meilleurs groupes mondiaux unis autour d'une noble cause, ressuscitant une tradition B2K.

Adam écrasa son index sur l'écran tactile du Term transformé en télécommande. L'image se figea, les sons se turent. Dans le coin gauche du mur-écran, l'icône de Rachel clignotait avec fureur.

Depuis « l'épisode Jason », elle insistait pour qu'ils échangent des messages à intervalles réguliers jusqu'à ce qu'ils s'endorment. Et ces dernières heures, ni elle ni

Adam n'avaient sommeil. Comme s'ils avaient du mal à se quitter.

Le Centre était passé en mode nuit et le bruit des serrures pneumatiques qui scellaient chaque quartier résonnait dans les couloirs.

La garantie de la tranquillité...

La question étant de savoir pour qui ?

De toute façon, Alex leur avait bricolé un petit programme qui leur permettait de s'affranchir de ce genre d'obstacle. Mais au moins Jason serait consigné dans sa chambre.

L'icône pulsait de plus en plus vite.

Rachel devait être soit hors d'elle, soit morte d'inquiétude.

Adam jeta un dernier regard sur la silhouette du géant émergeant de la brume, sur le visage d'Angus déformé par la rage.

« Ouvrir : messagerie des Insoumis. »

Alex avait concocté ce petit logiciel qui se coulait dans le système sans le perturber, quelques lignes de code noyées dans des milliards d'autres. Un programme discret et efficace qui permettait aux Insoumis de communiquer entre eux.

« Vous avez un nouveau message... »

Adam sourit. La voix du logiciel était celle de Galesh, un personnage de dessin animé, une sorte d'insupportable Jiminy Cricket en forme de robot.

```
Connecte-toi ! In.us.43x
```

Deux mots, une adresse. Rachel faisait dans l'efficace pour une fois.

« Ouvrir : Woogle. »

Le programme de surf sur la Toile déroula sa fenêtre sobre. Fond noir, l'ombre d'un rôdeur en guise de logo et une poignée de fonctions élémentaires, Woogle ne s'embarrassait pas de détails. Un outil simple et rapide.

À peine activé, un lecteur vidéo apparut.

Qu'est-ce que ça veut dire ?

Adam s'impatienta devant la barre de chargement.

Pourquoi diable Rachel voulait-elle qu'il regarde une séquence vidéo à cette heure-ci ?

Le gris-attente céda la place à l'image impeccable et léchée qui caractérisait les épisodes de *Far-Away*.

Illuminé par les soleils verts d'Aldaraan VI, une silhouette s'avança vers Adam. Un homme, seul, qui foulait le sable de la planète maudite pour se diriger droit vers l'adolescent. Ce dernier avait immédiatement identifié la démarche militaire du capitaine Girk. Le cliché était superbe, sorti de l'un de ses épisodes préférés : « Maudite Lumière ». Il regretta presque de ne pas avoir activé l'holo3D.

Dans un silence presque religieux, l'officier se figea et salua Adam.

« Bonsoir, je suis le capitaine Girk, je viens en paix et... »

L'image tressauta pour passer à un autre extrait, sans transition.

« ... je suis et je reste insoumis... »

Cette fois-ci, il s'agissait de « Rébellion arcturienne », un épisode de la dernière saison.

« Suivez-le... *Menace sur le* Navigator. Lapin... *Exodus...* Blanc... *Sacrifice.* »

Une suite d'extraits collés les uns après les autres, soigneusement identifiés par un sous-titre précisant le nom de l'épisode d'origine.

Le capitaine Girk semblait pris de frénésie, enchaînant gestes et changements vestimentaires sans aucune logique.

Il n'y avait qu'un véritable fan pour être capable de réaliser un montage aussi précis, quelqu'un qui connaissait parfaitement la série et ses dialogues pour aller débusquer les bonnes phrases et délivrer un message cohérent.

Charles ! ?

Adam fut pris de vertige. C'était impossible, le docteur Grüber leur avait affirmé qu'il était mort... À moins qu'il n'ait menti.

« Ouvrir : Messagerie. Nouveau mail, destinataire : Rachel. »

Impossible d'activer la visio à cette heure. Le débit serait trop important pour passer inaperçu : les chiens de garde de l'intelligence artificielle le débusqueraient aussitôt.

```
@ Rcl : Tu en penses quoi ?
@ Adm : Aucune idée mais regarde ton écran !
```

Adam fronça les sourcils. Il ne voyait rien de spécial.

```
@ Rcl : O-O ?
@ Adm : Ferme la messagerie...
```

Adam s'exécuta.

« Ben merde, alors... »

Devant lui, les icônes du bureau s'étaient entièrement réorganisées. Elles formaient la silhouette d'un lapin.

```
@ Rcl : Comprends pas.
@ Adm : Charles !!!!!
```

Rachel était visiblement parvenue à la même conclusion que lui. C'était complètement fou mais tout semblait indiquer qu'ils avaient raison. Le choix de la série, le montage et maintenant le lapin. Charles adorait ce personnage lorsque la jeune fille lui lisait des extraits des aventures d'Alice...

Le message semblait clair. Totalement surnaturel mais clair.

```
@ Rcl : Et on doit faire quoi ?
@ Adm : J'en sais rien :/
```

Adam fouilla l'écran du regard. Peu importe que tout cela soit impossible. Charles leur envoyait un code, et il devait en trouver la clef.

```
@ Rcl : Une idée ?
@ Adm : Rien. Tente Alex.
```

« Nouveau destinataire : Alex. »

```
@ Alx : Alex ?
@ Adm : :)
@ Alx : Tu peux hacker la bécane de
Charles ?
```

Alex ne répondit pas, mais moins d'une minute plus tard le contenu du disque dur de leur ami défunt était en partage.

« Répartir. »

Le mur-écran se scinda en trois : le fil de conversation avec Rachel, celui avec Alex et la fenêtre principale.

« Ouvrir : lecteur Charles. »

Une rangée d'icônes envahit l'espace virtuel. Aucun ordre logique. Des milliers de fichiers plus ou moins distribués au gré de la fantaisie de Charles. La plupart portaient des noms de planètes, de constellations ou de vaisseaux spatiaux issus de *Far-Away*. Adam chercha un indice. En vain.

```
@ Rcl/Alx : Ça va prendre des heures !
@ Adm/Rcl : Non, j'ai une idée.
```

Adam patienta, il ne voyait pas très bien comment ils pouvaient faire le tri. Il aperçut un dossier estampillé de son prénom. Il hésita quelques secondes.
« Ouvrir... »
Mais il renonça. Après tout, rien ne l'autorisait à fouiller l'intimité de son ami.

```
@ Adm/Rcl : Cherche un fichier modifié
récemment. Aujourd'hui pour être plus pré-
cis.
@ Adm/Alx : Aujourd'hui ????
@ Adm/Rcl : Regarde : « White Rabbit »
```

Adam enclencha la Live Session des Flying Mermaids, un groupe de jeunes femmes qu'il avait découvert via Tweezer, le réseau social auquel il avait accès quelques heures par semaine grâce à Alex.

« Ouvrir : White Rabbit. »
Il savait que dans sa chambre, Rachel faisait la même chose. Il aurait aimé être avec elle, partager ces instants à ses côtés. Mais depuis la panique qui avait frappé le Centre lorsque la Yuki-Onna avait détraqué le système,

les rondes avaient été renforcées. La toute-puissance de l'informatique avait été mise en défaut et il devenait périlleux d'éviter les infirmiers et les agents de sécurité parcourant les couloirs le soir.

De plus en plus souvent, il ressentait l'envie de rejoindre Rachel pour passer un peu de temps seul avec elle. Un sentiment qui le perturbait bien plus qu'il ne l'aurait voulu.

Adam chassa ces pensées embarrassantes pour se concentrer sur le dossier qui contenait trois fichiers, des copies de messages...

De : Dr Sarah Mac Laine
Objet : Démission
Importance : Haute
Classification : Aucune
Date : 29 oct. 22 : 17 : oo HAEC
À : Dr Hans Grüber

Monsieur le directeur,

Les récents événements survenus au sein de notre établissement me poussent à vous présenter ma démission.

En effet, depuis quelques mois j'ai pu constater de nombreux manquements à la plus élémentaire déontologie, manquements qui ont abouti il y a peu à la mise en danger patente de deux de nos patients et au décès d'un troisième. Cette situation est à la fois insupportable et scandaleuse. Je me réserve d'ailleurs le droit de porter certains faits devant les plus hautes instances juridiques.

Par ailleurs, je dois avouer mon plus grand scepticisme quant aux orientations prises par le conseil d'administration lors de sa dernière session. Certains programmes de soins semblent à présent devoir obéir à une volonté bien éloignée des préoccupations thérapeutiques qui devraient pourtant nous intéresser au premier plan.

Je tiens malgré tout à vous présenter mes plus vifs remerciements pour ces années de collaboration puisque vous m'avez témoigné une grande confiance en m'engageant à vos côtés dès la fin de mes études. J'ai beaucoup appris à votre contact et tiens à vous faire part de ma plus grande admiration pour l'élaboration du programme Reset qui, selon moi, présentait (et présente encore ?) une avancée thérapeutique révolutionnaire. Toutefois, il me semble que la volonté de servir l'intérêt de nos patients qui vous animait il y a encore peu s'est nettement détériorée. Peut-être doit-on y voir les stigmates de l'arrivée de ce nouvel actionnaire qui semble exercer une emprise tout à fait délétère sur le Centre et votre travail.

Vous comprendrez ainsi que je ne peux demeurer au sein d'une équipe dont je ne me sens plus solidaire, que je ne peux pas me lever tous les jours en me demandant lequel de nos patients va faire les frais de vos « expérimentations ».

Je prends donc cette décision en mon âme et conscience. Il va de soi que j'assurerai le suivi de mes patients jusqu'à l'arrivée de mon successeur.

C'est avec une profonde tristesse et une grande déception que je quitte le Centre.

Confraternellement,

Docteur Sarah Mac Laine

P.-S. : Vous trouverez en pièces jointes les curriculum vitae de deux jeunes confrères dont les compétences et l'intégrité sont exemplaires.

Adam ne parvenait pas à croire ce qu'il venait de lire. Le docteur Mac Laine envisageait de partir ! Et elle ne lui avait rien dit !

Il se sentit trahi et la colère surpassa la peur de rechuter en l'absence de l'unique médecin qui lui avait permis de maîtriser ses symptômes.

« Ouvrir : Réponse Grüber. »

De : Dr Hans Grüber
Objet : Projet Unmasked
Importance : Haute
Classification : Secret défense
Date : 29 oct. 23 : 18 : 00 HAEC
À : Dr Sarah Mac Laine

Très chère consœur,

Je suis particulièrement attristé par votre message et je vous prie de bien vouloir me pardonner de vous avoir tenu à l'écart d'un certain nombre de décisions et de vous avoir caché des informations capitales qui pourraient sans doute éclairer les récents changements au sein du Centre. Tout d'abord, je tenais à vous rassurer quant à ma préoccupation vis-à-vis de la santé de nos pensionnaires. Contrairement aux apparences peut-être, ils demeurent ma priorité absolue et je m'emploie tous les jours à la garantir dans la mesure de mes possibilités. Comment pouvez-vous en douter après toutes ces années de travail commun ?

Néanmoins, ainsi que vous le pressentez, notre établissement est soumis à des pressions de plus en plus importantes, pressions dont je vous avais écartée afin que les programmes de soins n'en pâtissent pas. Et puis, je pensais, à tort, pouvoir prévenir toute conséquence fâcheuse...

Mais, comme vous le savez, le Centre est une unité unique en son genre et le développement de Reset nécessite des ressources pharaoniques. C'est pourquoi je suis constamment à la recherche de nouveaux financements. Ces derniers temps, j'ai accepté de développer un nouveau programme nommé « Unmasked » en collaboration avec les...

Adam n'eut pas le temps de poursuivre sa lecture, son mur-écran prenant tout à coup une teinte rouge vif.

Qu'est-ce qui se passe ?

Une voix féminine s'éleva dans la chambre.

« Votre serveur vient d'être désactivé en raison d'une infraction grave à la sécurité du Centre. Vous êtes confiné dans votre chambre jusqu'à demain matin. Les autorités compétentes seront prévenues et vous devrez répondre de vos actes devant le directeur. Bonne nuit. »

Repérés !

Une vague de panique envahit Adam sans qu'il ne puisse la réprimer. Il se jeta sur son Term mais rien ne répondait.

« Et voilà, le petit crétin va finir en iso ! s'exclama Jekyll.

— Tu crois, mon chéri ?

— Sûr, ma douce.

— Il va être tout à nous ?

— Promis, juré, craché ! »

Séquence 09 **SOULMATE**

« Yeah,
Dream on my world
I live on my world
Going out my head down to
We're going somewhere
Goin' on the best of June
Under pressure today
I'm gonna burn mine away today
Had to go
Had to be dumb
It ran away. »

GORILLAZ

Sous l'impact de la mine, les plastofibres s'écartaient, menaçant à tout instant de se rompre. Vince ne dessinait pas, il scarifiait le papier artificiel, déposait quelques gouttes d'encre synthétique pour tatouer une ligne, quelques points, une ébauche de trame au cœur de son carnet.

Recroquevillé autour de son poignet tordu, il faisait corps avec le stylo. En quelques gestes nerveux, il façonnait les contours d'une mâchoire, l'angle d'un regard, sans ordre ni méthode.

Et peu à peu se formait un visage.

Un démon, Shōki San.

L'un des personnages principaux de *Girl In The Mirror*, une sorte d'exorciste destiné à guider Atsumi – leur héroïne, sortie de l'imagination d'Adam – lors de son passage parmi les Enfers.

À chaque plaie ouverte par Vince, l'homme apparaissait un peu plus. L'adolescent accélérait le rythme, déposant une ride, une cicatrice, et le bruit de la mine contre la fibre emplissait tout l'espace.

Confortablement installé dans le canapé des Insoumis, Adam scrutait chaque geste de son ami. Il ne pouvait s'empêcher de comparer le « Vince » du Centre, replié sur lui-même, dessinant avec une énergie désespérée, violente presque, et l'autre, celui de l'Inside, épanoui, qui effleurait le papier avec grâce.

Comment peuvent-ils être si différents ? songea-t-il.

À l'autre bout de la pièce, Rachel se rongeait les ongles tout en écoutant d'une oreille distraite le discours en boucle d'Alex.

« Repérés. Repérés. Le docteur Grüber ne va pas être content. Oh non, il ne va pas être content. Repérés... »

À présent, ils attendaient.

Adam avait expliqué la situation à Vince : les séquences vidéo, les e-mails et puis cet avertissement qui avait blanchi leur nuit et noué leur estomac.

Mais, contrairement à ce qu'avait annoncé la mystérieuse voix, il ne s'était rien passé. Les adolescents s'étaient alors coulés dans la routine – lever, douche, habillage – puis s'étaient rendus au réfectoire pour le petit déjeuner sans que personne ne s'occupe d'eux.

Et pourtant, ils n'avaient pas rêvé... Ils étaient sûrs d'avoir été repérés.

Chacun regardait derrière son épaule, sursautait, guettant le moment où les agents de sécurité viendraient les chercher pour les conduire à Grüber. Mais jusqu'ici tout allait bien et comme leur emploi du temps s'était sérieusement allégé depuis l'absence du docteur Mac Laine, ils étaient allés chercher Vince et s'étaient réunis dans l'une des salles de la zone de vie. Pour s'isoler du reste des pensionnaires, pour vivre l'angoisse ensemble.

Il régnait dans le Centre une atmosphère étrange, comme si tout l'établissement était en stase, coincé entre deux dimensions parallèles. Les dégâts causés par l'intervention de la Yuki-Onna étaient encore visibles et le personnel passait une grande partie de son temps à vérifier les dispositifs perfectionnés encore perturbés.

Adam était absorbé dans le croquis de Vince. Il ne parvenait pas à quitter des yeux la main de son ami. Gantée d'une mitaine de cuir, on aurait cru un oiseau de proie qui s'abattait sans cesse sur la feuille, la griffant à chaque passage d'un nouveau trait. Vince avait emprunté Shōki San au folklore japonais. Il l'avait adapté et l'avait transformé en un démon repenti qui dissimulait son apparence sous une large cape à capuchon.

Il ne s'agissait que d'une recherche, une première version du personnage dont ils avaient à peine parlé.

Vince lacérait le regard à présent. Il ajoutait une sorte de plaque. Des rivets. Un morceau de métal. Et il s'arrêta net.

L'adolescent releva ses cheveux, dégagea son visage. Les gouttes tatouées au coin de ses yeux s'étirèrent.

Il tendit en souriant son dessin à Adam.

« Whaou ! »

L'homme était là. Incroyable de réalisme. Dès le premier coup d'œil, on oubliait les traits, les griffures et on voyait apparaître le grain de la peau, les poils de la barbe, les rides qui scarifiaient son visage. Shōki San, le démon chasseur de monstruosités, s'était incarné et attendait qu'Adam l'envoie secourir Atsumi.

« Vince, mon vieux, tu t'es surpassé !

— Vous n'avez vraiment rien d'autre à faire ? » les interpella Rachel.

Sur ses poignets, de fines plaies à peine refermées témoignaient d'un long tête-à-tête nocturne avec son cutter « maison ». Un nœud se forma au creux de l'estomac d'Adam. Il ne supportait plus que la jeune femme se fasse du mal.

« Désolé, Rachel, c'est...

— Est-ce que tu as la moindre idée de ce qui s'est passé hier soir ? De ce que cela signifie ?

— Non... Je...

— Qui nous a fait ça ? Il va nous dénoncer, tu crois ?

— J'en sais rien. »

Rachel arpentait la pièce de long en large et Adam ne put s'empêcher de songer aux panthères qu'il avait affrontées dans la Zone Aveugle, une éternité plus tôt... Le temps semblait s'être distordu ces derniers jours. Il y avait eu tant d'événements. La mort de Charles, les nouveaux protocoles, le retour de Jason et maintenant...

« Alex ?

— Il refuse de faire le moindre commentaire. Il n'a pas prononcé un mot de toute la matinée.

— On va faire quoi ?

— Mais j'en sais rien ! »

Rachel s'effondra dans le canapé, les yeux plus rouges que d'ordinaire. Adam ne l'avait jamais vue ainsi. Désemparée, perdue, incapable de stimuler ses troupes.

« Il faut que... »

Soudain, les verrous de la pièce s'enclenchèrent, les faisant sursauter. Les caméras s'éteignirent tandis qu'un flot de pixels s'écoulait sur l'un des murs.

« Qu'est-ce que c'est que ce bazar ? » s'exclama Rachel.

Une jeune femme de synthèse apparut sur l'écran. Elle souriait mais semblait mal à l'aise, comme si elle ne savait pas très bien quel comportement adopter.

« Bonjour. Je suis Pris, l'assistante de monsieur Dombrowski. »

Une intelligence artificielle !

Alex releva la tête. Il vouait une admiration sans bornes au génie qui avait modelé l'Inside.

D'ordinaire, Max se tenait à l'écart des patients et on n'apercevait que rarement sa tignasse ébouriffée dans les couloirs. Mais il avait toujours un sourire, un petit mot pour les adolescents. Il maintenait juste une distance raisonnable, sans doute sur ordre des médecins.

« Vous avez enfreint les paragraphes 6, 10 et 15 du règlement du Centre. »

L'avatar débita l'ensemble des infractions d'une voix aseptisée. À chaque rappel des sanctions encourues, Rachel se décomposait un peu plus. Vince s'était de nouveau tassé sur lui-même et noircissait des pages et des pages de son carnet. Le bruit de la mine devenait assourdissant. Quant à Alex, il s'était retourné vers le mur.

« Et voilà, le débile, la rançon de tes espoirs imbéciles !

— Tu vas gagner un petit séjour en iso... Et tu sais ce qui t'attend là-bas ? »

Adam cessa d'écouter le flux de paroles de l'assistante virtuelle pour se concentrer sur ses propres voix.

« Tu ne t'en doutes pas ? Même pas une petite idée ? »

En fait, il n'avait pas très envie de savoir.

« Eh bien, tu vas passer un bon moment en tête-à-tête rien qu'avec nous ! »

Adam frissonna. Il avait beau se dire qu'il allait mieux, qu'il parvenait à mettre de la distance avec ses hallucinations, qu'il y avait l'hypnose, le Comique, il redoutait un isolement prolongé...

« Oh oui, tu peux avoir peur... On va te rendre fou... encore plus fou !!! »

« Êtes-vous d'accord avec ce que je viens d'énoncer ? » acheva la créature informatique.

Personne ne répondit.

« Avez-vous compris ? » insista-t-elle.

Adam hocha la tête.

« Bien.

— Est-ce que... vous allez nous dénoncer ? »

Pris ne lui répondit pas. Elle semblait embarrassée par la question, attendre des instructions.

« Mais bordel, qu'est-ce que vous allez faire ? »

Rachel s'était levée d'un coup. Elle ne supportait plus toute cette tension. Elle s'approcha à quelques centimètres de la femme virtuelle.

« Ça suffit ! Appelez la sécurité, prévenez Grüber et punissez-nous ! Mais faites vite ! »

L'ambiance était devenue électrique, malsaine.

« Inutile de vous affoler... Je suis...

— Inutile de nous affoler ! Inutile de nous affoler ! Mais vous rigolez ou quoi ? Ouvrez la porte, qu'on en finisse ! » gronda Rachel tout en écrasant son poing contre le mur.

Pris hésitait. Elle alternait sourires mièvres et mine contrariée. Visiblement, elle n'avait pas été programmée pour faire face à une telle situation. À moins que...

« Calmez-vous les enfants, calmez-vous ! »

L'incroyable chevelure de Max Dombrowski venait de remplacer la plastique impeccable de son intelligence artificielle sur l'écran.

Alex n'arrivait pas à en croire ses yeux. Son maître était là, devant lui, en 3D améliorée.

« Je... je suis désolé de vous avoir fait peur. »

Le trentenaire semblait embarrassé. Il mâchouillait nerveusement le bâton de son éternelle Chupa Chups.

« Je voulais juste... vous mettre en garde. Et puis, tout de même, vous avez piraté le système...

— Pas piraté, adapté. »

Alex s'était levé, il faisait face au visage démesuré du génie.

« C'est toi qui as fait ça ?

— Oui.

— Mais comment ? On dirait que tu as introduit dans le programme une sorte de mix entre un Métamorph et un Aléa, un truc impossible, en théorie...

— Ce n'est pas ce que j'ai fait. J'ai tout simplement utilisé une faille de sécurité.

— Une faille ?

— La procédure de contrôle aléatoire déclenchée toutes les heures.

— Oui ?

— J'y ai attaché un cheval de Troie. »

Max réfléchit à toute vitesse. Il avait mis au point ce protocole afin que le système vérifie lui-même son intégrité à intervalles réguliers, en scannant une zone choisie de manière totalement imprévisible. Si le garçon disait vrai, le programme ne pouvait pas repérer le virus puisqu'il vérifiait chaque fois une autre partie de son code. Comme si Alex lui avait attaché un poisson d'avril dans le dos. Astucieux et imparable.

Seulement pour faire cela, il fallait que l'adolescent ait pu accéder au code source, qu'il ait été capable de comprendre le langage que l'ingénieur avait lui-même mis au point. Si c'était le cas, ce gamin était un véritable génie.

« Et pour la messagerie interne ?

— Elle passe par la Toile en utilisant la même faille. Il n'y a pas de flux direct entre les chambres.

— Génial ! »

Adam et Rachel se regardèrent, interdits.

Non seulement Max Dombrowski ne paraissait pas décidé à les dénoncer auprès du directeur mais en plus il discutait avec Alex à la manière d'un frère d'armes. Une véritable complicité était en train de naître sous leurs yeux.

L'ingénieur interrompit la conversation pour s'adresser à tous.

« Je... je suppose que vous souhaitez que tout cela reste entre nous, n'est-ce pas ? »

Il réfléchissait au fur et à mesure, soliloquant devant les adolescents pétrifiés.

Alex opina.

« Oui... Bon... Vous avez quand même contourné les systèmes de sécurité du Centre. Ce n'est pas rien... Mais si j'en parle au directeur, il va prendre des sanctions... Ce n'est pas une bonne idée. »

De temps à autre, il jetait un regard sur les Insoumis, comme pour obtenir leur approbation.

« Le mieux serait peut-être que nous discutions au calme... Oui, oui... Et je prendrai ma décision ensuite... Vous êtes d'accord ?

— Oui, monsieur Dombrowski, lança Alex.

— Max, appelez-moi Max. Retrouvez-moi dans l'aile nord en fin d'après-midi, juste après vos activités théra-peutiques. Et en attendant, ne dites rien à personne... Ça ne ferait que compliquer les choses. »

L'aile nord ! La zone où se situaient les chambres d'iso, la zone d'où on ne revenait jamais tout à fait comme avant.

« Mais nous... nous n'y avons pas accès.

— Je sais... Mais au moins personne ne viendra nous déranger, là-bas. »

Un piège ? se demanda Adam.

Peut-être...

Mais il n'avait pas le choix et au moins, il serait avec Rachel.

Séquence 10   JASON X

« And the rain will kill us all
If we throw ourselves against the wall
But no one else can see
The preservation of the martyr in me. »

SLIPKNOT

Jason était là.

Tapi dans un coin, il avait laissé passer Adam, Vince et Alex avant de jaillir comme l'un de ces diables en boîte que l'on trouvait encore chez quelques collectionneurs.

Puis, il s'était planté devant Rachel avant qu'elle ne sorte de la salle où les Insoumis s'étaient réunis, lui barrant le passage.

« Alors, Beckie, on joue les baby-sitters ? »

La jeune femme haussa les épaules et tendit le bras pour le repousser.

« Laisse tomber ! » lâcha-t-elle en avançant.

Jason stoppa son geste. Il lui saisit le poignet avec force. Elle grimaça.

« Lâche-moi !

— Pour quoi faire ? Tu ne veux pas qu'on passe un petit moment ensemble, Beckie ?

— Arrête de m'appeler comme ça ! »

Jason lui tordit la main pour la forcer à se réfugier contre le mur. Des larmes de rage emplirent le regard de Rachel.

« Mais lâche-moi, tu me fais mal ! »

Le cri rebondit dans le couloir, rattrapa les trois garçons qui s'éloignaient vers la salle commune et explosa à leurs tympans.

Ils se retournèrent de conserve.

Jason !

La silhouette longiligne de l'adolescent s'enroulait déjà autour de Rachel.

Aussitôt, Alex se détourna. Non par lâcheté, mais parce qu'il absorbait toute violence et qu'il finissait par la diriger contre lui. Il était une éponge d'angoisse, de peur, de coups, une éponge incapable d'évacuer son stress autrement qu'en imprimant ses sentiments sur un coin de mur avec son front... Alors, il préféra s'écarter.

Adam et Vince hésitèrent.

Ils savaient que Jason ne supporterait pas qu'ils interviennent. Qu'il le leur ferait payer lourdement. Et puis, d'ordinaire, Rachel préférait se débrouiller seule.

Sauf que là, les choses semblaient tourner franchement mal.

Vince fit un pas en avant. D'instinct, Adam le retint.

« Ben, qu'est-ce que tu vas... »

L'adolescent saisit son carnet, tourna fébrilement quelques pages et lui colla un dessin sous les yeux.

C'était une planche de G.I.T.M., encrée, tramée, définitive.

Trois cases. À droite, leur héroïne Atsumi en gros plan, les yeux mangés de terreur. En miroir, un Oni monstrueux. Dessous, la jeune femme hurlait, emportée par le démon.

Vince fit de nouveau défiler quelques croquis puis s'arrêta sur un portrait : Shōki San.

Merde ! songea Adam. *Il veut qu'on intervienne.*

« Vince, on n'a aucune chance, on ferait mieux de prévenir quelqu'un. »

En guise de réponse, l'adolescent pointa Alex qui s'éloignait. Il allait sans doute s'en occuper. Enfin, c'est ce qu'espérait Adam, leur ami étant bien trop imprévisible pour en être tout à fait sûr.

« O.K., on va essayer... », soupira-t-il.

Jason avait bloqué les deux bras de Rachel et lui murmurait dans le cou. De là où les garçons se tenaient, on aurait pu croire à un couple enlacé. Une sensation désagréable, sournoise se nicha dans le ventre d'Adam.

« Arrête ! Je refuse que tu me touches ! » se débattait Rachel.

Sa voix tremblait, mélange d'indignation, de colère et de peur.

Mais Jason se faisait plus entreprenant et des larmes commencèrent à couler sur les joues de la jeune fille.

Vince lâcha son carnet.

Ses poings se refermèrent sur ses cuisses et il courut se jeter sur Jason dans une sorte de rugissement, un cri rauque échappé du fond de ses tripes.

Jason avait anticipé. Plus rapide, plus puissant, il pivota sur lui-même, saisit le bras de son adversaire et le propulsa sur le mur. Vince gémit en se tenant le visage.

Adam bouillonnait.

« Et maintenant, tu comptes faire quoi, le débile ?

— Courber l'échine comme d'habitude ! » renchérit Hyde.

« Taisez-vous ! »

Il avait lâché ça à voix haute. Jason sourit.

« Tiens, tiens... Après l'autiste, c'est le schizo qui vient prendre sa raclée. Vas-y, approche, je sens qu'on va bien s'amuser.

— Laisse-la partir, s'il te plaît.

— Comme c'est mignon ! Le petit prince qui vient au secours de sa dulcinée... T'en penses quoi, Beckie ? »

La jeune femme lui cracha au visage. Aussitôt, les traits de Jason se durcirent. Il serra les avant-bras de Rachel jusqu'à ce qu'elle tombe à genoux, en sanglots.

« Arrête ! ordonna Adam.

— Hou, mais c'est qu'on se rebelle... Et tu vas faire quoi ?

— T'empêcher de nuire.

— Tu sais que je suis mort de peur », ricana Jason.

Dans son dos, Adam perçut de l'agitation. Des pas, des murmures. Sans doute d'autres pensionnaires attirés par l'altercation. Il distinguait la voix suraiguë de la petite Zoé, les réponses de Matthieu-le-Goinfre et la respiration sifflante d'Arthur, le nouveau.

Les infirmières ne tarderaient pas à intervenir. Alors autant tenter le tout pour le tout.

« Laisse Rachel tranquille. Elle est avec moi. »

Les pommettes de Jason se colorèrent légèrement. Le sujet était sensible, il fallait insister dans cette direction.

« Ah ouais ? Tu penses que Beckie s'éclate avec vous ?

— Je pense qu'on vaut mieux que toi, en tout cas ! »

L'assemblée se figea. Personne à ce jour n'avait osé défier Jason.

« Tu crois ça ? » demanda ce dernier d'un ton étonnement calme.

Il se tourna vers la jeune femme et lui tendit la main.

« Allez, viens maintenant !

— Non.

— Viens avec moi ! Je ne le répéterai pas !

— Non, elle reste avec nous ! » conclut Adam.

Jason regarda l'adolescent s'avancer. Il s'écarta même pour le laisser passer.

Trop facile... pensa Adam, sur ses gardes.

Il se pencha vers Rachel, l'aida à se relever en la prenant par les épaules.

« Et tu crois vraiment que je vais te laisser faire ? » gronda Jason en serrant le poing. Il allait l'abattre de toutes ses forces. Mais son geste fut interrompu par une bille propulsée à grande vitesse.

« Laisse Adam tranquille ! » fit d'une voix fluette Zoé, huit ans, fugueuse à répétition, persuadée d'être la fille d'un couple extraterrestre.

Dès son arrivée, son histoire avait fait le tour du Centre. Au bout de son bras, une fronde improvisée achevait de tournoyer.

Jason haussa un sourcil. En deux enjambées, il se tenait devant elle, un sourire prédateur au coin des lèvres.

« Alors comme ça, on se révolte ? demanda-t-il en se baissant.

— Tu sais, je n'ai pas peur de toi. »

Il essaya de la gifler mais Adam avait anticipé. Il balança son pied le plus haut possible. Surpris, Jason ne put éviter le coup qui l'atteignit juste au-dessus de l'œil. Sous l'impact, il grogna, et du sang coula de son arcade sourcilière fendue.

Il releva la tête et regarda Adam.

« Je vais te planter, mec, je jure que je vais te planter !

— Qu'est-ce qui se passe ici ? » hurla une infirmière.

Mais Jason avait déjà disparu.

*

L'iso.

L'un des mystères les mieux préservés du Centre. Une zone complètement enclavée, isolée du reste par un jardin intérieur et deux lourdes portes blindées. Un lieu dont aucun des résidents ne connaissait la véritable étendue : même les logiciels d'Alex n'étaient pas parvenus à en « craquer » les plans. Le personnel y était différent et ne rentrait jamais en contact avec leurs collègues de l'aile thérapeutique.

Un bloc qui contenait les chambres d'isolement et, à en croire Rachel, la Chambre Perdue...

Tout en suivant la jeune femme, Vince et Alex, Adam songeait qu'il fallait être inconscient pour s'aventurer dans cette partie du Centre. Et pourtant Max avait insisté. Il était venu en personne les chercher à l'entrée, les avait guidés à travers un dédale de couloirs aseptisés pour les conduire devant un ascenseur. Ils avaient pénétré en silence dans le monte-charge, attendu que les portes veuillent bien finir par se refermer.

Max paraissait nerveux, leur adressant à intervalles réguliers un sourire crispé.

« Vous comprenez... Vous n'êtes pas censés être là... C'est une zone confidentielle... Vous ne devez... Enfin, vous n'en parlerez à personne ? »

Adam l'avait rassuré d'un hochement de tête.

La cabine s'immobilisa.

Les pans d'acier s'écartèrent pour laisser pénétrer une vague froide et obscure. La lumière de l'ascenseur peinait à repousser les ténèbres de la salle. Seules quelques diodes pulsaient dans la pièce, clignotant au rythme du cliquetis des serveurs.

« Entrez, n'ayez pas peur... Vous ne risquez rien ici, vous êtes dans le cerveau du Centre, mon domaine ! déclara Max avec emphase. Pris, allume, veux-tu ?

— Bien, Max. »

Aussitôt, les circuits du plafond se chargèrent d'électricité, des milliards de particules lancées à l'assaut des tubes emplis de gaz rares. Sous l'impact, les parois de verre des néons émirent une plainte cristalline avant de libérer leurs lueurs épileptiques dans un bruit sec. Une première rangée s'éclaira, extirpant de l'ombre les angles des armoires informatiques.

Puis le phénomène s'accéléra, se propageant de proche en proche à toutes les dalles. À chaque claquement, la pièce s'agrandissait un peu plus, révélant de nouvelles machines, toujours plus imposantes. Des kilomètres de câbles et de fibres optiques formaient des ponts, des auto-routes qui alimentaient les serveurs de flux ininterrompus de données.

New-Polis, songea Adam, *on dirait New-Polis.*

Hypnotisés par le spectacle de cette ville miniature, les adolescents n'osaient franchir le seuil de l'ascenseur.

L'acilunium du cerveau artificiel dévorait l'espace, envahissait les murs, menaçant par endroits de crever la gangue de béton qui l'enfermait tandis que les pulsations synchrones de ses microprocesseurs emplissaient l'atmos-phère d'ondes vibratoires.

Rachel fut la première à s'avancer sur la dalle-miroir recouvrant le sol, des centaines de mètres carrés de silice noire où se reflétaient à l'infini les serveurs-gratte-ciel. Elle marchait avec précaution, comme si elle redoutait de réveiller l'esprit de la machine. Son visage rayonnait. On aurait dit une petite fille émerveillée par un nouveau jouet.

Jamais Adam ne l'avait vue aussi détendue. Il sourit. Elle était d'une beauté à couper le souffle. Elle semblait flotter au-dessus de la ville, seule, touchante et il eut soudain l'envie de la rejoindre pour la prendre dans ses bras. Vince s'était assis dans un coin pour immortaliser la scène d'un coup de crayon.

« Alors, qu'en pensez-vous ? » demanda Max en mâchouillant nerveusement le bâton d'une sucette depuis longtemps terminée.

Alex était bien trop absorbé par le spectacle pour répondre. Il déambulait de serveur en serveur, passant une main fébrile sur les angles polis, scrutant les entrailles électroniques des terminaux. De temps en temps, il s'arrêtait pour coller son oreille sur le métal froid comme s'il pouvait percevoir le murmure des ordinateurs. Il hochait la tête, satisfait, puis continuait son exploration, des étoiles plein les yeux.

Enfin, il se retourna vers Max.

« Vous croyez que Charles est quelque part là-dedans ? »

L'adolescent avait le don d'aller à l'essentiel, mais pour le coup c'était un peu brutal.

Adam reprit devant la mine surprise de Dombrowski.

« Ce qu'il veut dire... Enfin, Alex pense que le phénomène de... de quoi déjà, Alex ?

— Rémanence », répondit ce dernier en s'installant devant l'un des terminaux, le regard agrandi de plaisir.

Il effleura la surface tactile de l'écran. Un clavier lumineux se matérialisa. Ses doigts se mirent à courir sur les touches virtuelles et l'écran se couvrit instantanément de colonnes ininterrompues de chiffres et de symboles. Il entrait en communication avec les serveurs.

« C'est ça... Que le phénomène de rémanence pourrait nous permettre de rentrer en contact avec Charles, une dernière fois... »

Max regarda Adam un long moment avant de répondre.

« Hum... Si je suis ton raisonnement, il faudrait charger la dernière session... Mais ce n'est qu'un enregistrement... On va juste revoir ce qui s'est passé, rien de plus... »

— Parce que ce n'est pas ce qu'il faut faire, déclara Alex sans décoller les yeux du dialogue qu'il avait entamé avec l'intelligence artificielle.

— Que veux-tu dire ?

— Il faut utiliser l'enregistrement comme une entité à part entière, comme si c'était le psychisme de quelqu'un...

— Tu veux "brancher" la séquence pour qu'elle influence elle-même l'Inside ?

— Eh oui ! »

Scié, Max était scié. Jamais il n'avait envisagé les choses sous cet angle. Et en théorie, ça semblait réalisable.

Il se dirigea vers l'adolescent et se pencha par-dessus son épaule. Il fouilla quelques instants dans la poche de son pantalon, en extirpa une nouvelle Chupa Chups qu'il ficha au coin de sa bouche.

L'informaticien n'en revenait pas. En moins de dix minutes, Alex avait déjà contourné les procédures de sécurité et atteignait le cœur du programme sans que Pris n'intervienne. Plus étonnant encore, il n'utilisait aucune interface, aucun intermédiaire, il communiquait directement avec les processeurs, leur adressant des instructions dans leur langage propre.

« Qu'est-ce que tu fais ?

— Je programme un *ver* capable de tromper Reset.

— Comment ça ?

— Eh bien, il y a une faille que je peux exploiter, juste là, dans le noyau. »

Dombrowski en resta bouche bée.

« Je vais implanter quelques lignes de codes pour que Reset pense que l'enregistrement est un être humain. Comme ça, il enclenchera la procédure habituelle. »

Max allait répondre lorsque les portes de l'ascenseur s'ouvrirent en grand. Vince sursauta et se recroquevilla un peu plus derrière l'angle d'un serveur. Dans la lueur blafarde se tenait Jason, le visage fermé, un morceau de métal – un bout de canette, probablement – à la main.

« Alors, on s'amuse ? » lança-t-il.

Se coulant dans leurs pas, leurs ombres, il s'était introduit dans l'aile interdite.

« Allez, Beckie, laisse ces cons et viens avec moi !

— Merde, mais t'as pété un câble ou quoi ? T'as grillé des neurones en iso ? » répondit Rachel.

L'adolescent se figea.

Sur son visage se lisait un étrange mélange d'incompréhension, de surprise et de colère. Un cocktail détonant qui n'allait pas tarder à exploser.

« Mais qu'est-ce qu'ils t'ont fait ? Beckie, bon sang, c'est moi ! »

Le jeune homme semblait prêt à s'effondrer.

Le dos voûté, il scrutait un point sur le sol comme s'il cherchait une réponse à ses questions désespérées.

Max hésitait. Une main coincée dans les cheveux, l'autre touchant sporadiquement les montures métalliques de ses lunettes, il jetait des coups d'œil nerveux en direction d'Alex. La situation le dépassait et il semblait envier l'adolescent qui, à présent, se balançait sur sa chaise.

Adam fit un pas en direction de Jason, tendit la main.

Il voulait... En fait il ne savait pas très bien ce qu'il comptait faire. Juste lui toucher l'épaule, l'approcher pour lui montrer qu'il comprenait, qu'il compatissait. Un geste dérisoire mais il ne trouvait pas les mots.

« Essaye un truc du genre : eh mec, reste cool, on va pas s'embrouiller pour une histoire de meuf... Ou : pose ton arme sinon ça risque de mal se passer... »

Le Comique, cette fois-ci. Nettement plus agréable que le couple Hyde-Jekyll mais tout aussi inutile.

« O.K., improvise alors ! »

Adam s'approcha un peu plus, un peu trop.

Au moment où il allait entrer en contact avec Jason, ce dernier sortit de sa torpeur. Son bras se déploya, décrivant un large demi-cercle...

« Mais t'es complètement malade ! » hurla Rachel.

Elle se précipita vers Adam qui contemplait d'un air interdit la plaie ouverte sur son avant-bras. Nette, longue, mais superficielle.

« C'est... c'est rien, t'inquiète.

— Tu parles, si tu n'avais pas reculé, il t'aurait lacéré.

— Je... commença Jason, mal à l'aise, comme si la situation lui avait échappé.

— Dégage maintenant, tu as fait assez de dégâts comme ça !

— Je ne partirai qu'avec toi », répondit Jason.

Il s'était repris et son regard faisait froid dans le dos. On y lisait une obstination à la limite de la démence.

Adam était décontenancé par le comportement de Jason, qui hésitait entre l'agressivité et le renoncement.

« Tu vas surtout me suivre chez les agents de sécurité », rugit Max.

Sa voix, son ton avait surpris tout le monde. L'ingénieur était transfiguré. Il avait posé ses lunettes et la ride de contrariété qui barrait son front lui avait donné dix ans de plus.

Jason le jaugea.

« Et tu crois que j'ai peur de toi, l'intello ? Tu vas me faire quoi si je refuse ?

— Je vais tout simplement te faire repasser en iso.

— Jamais ! »

Jason se précipita vers l'ascenseur, s'y engouffra. Les portes se refermèrent dans un chuintement.

Un silence pesant s'abattit alors sur le groupe. Durant quelques instants, il n'y eut plus que le cliquetis des ordinateurs et le souffle de leurs respirations.

Adam songeait à l'attitude de Jason. Il essayait d'analyser cette curieuse alternance entre violence et fragilité. Après tout, ce n'était peut-être pas la brute qu'il laissait paraître.

Alex s'était de nouveau réfugié dans son monde, submergé par le trop-plein d'émotions contradictoires malgré le réconfort que s'efforçait de lui apporter Vince.

Max Dombrowski leur jeta un regard désolé.

« Je pense qu'il faut que vous retourniez dans vos... »

Il fut interrompu par une voix furibonde qui explosa dans les haut-parleurs.

« Monsieur Dombrowski ! Dans mon bureau, immédiatement ! »

Grüber !

Séquence 11   **FOLLOW THE WHITE RABBIT**

« Your magic white rabbit
Has left its writing on the wall
We follow like Alice
And just keep diving down the hole
We're falling and we're losing control
You're pulling us and dragging us
down this dead end road
We follow like Alice
And just keep diving down the hole. »

EGYPT CENTRAL

Un champ de protection.

À l'épreuve des balles, des blasters et des meilleures intentions.

Depuis quelques jours, Alex s'était retranché derrière une forteresse de silence, étanche, indestructible. Il se contentait de survivre, de suivre le mouvement comme une poupée désincarnée, une créature tout droit sortie de *Walking Dead Return*, la nouvelle série d'HNC-Web. Il se rendait aux activités selon son planning, s'asseyait dans le bureau de l'ergothérapeute, participait aux réunions thérapeutiques. Sans décrocher le moindre son, sans regarder autre chose que ses pieds.

Même Rachel avait renoncé...

De toute façon, Alex n'avait pas le choix. Si, par malheur, il sortait trop vite de son cocon, de cette torpeur dans laquelle son esprit s'était réfugié, il finirait dans un coin de sa chambre, le front contre le mur. Jusqu'à ce qu'il perde connaissance, jusqu'au coma. Adam en était persuadé.

Il lui faudrait du temps, de la patience pour digérer la tourmente qu'ils venaient de traverser.

Rachel ne paraissait pas en meilleur état.

D'immenses ombres agrandissaient son regard, de vilains cernes, stigmates de ses nuits blanchies par les souvenirs nauséeux du contact de Jason. Les caresses de ce dernier avaient réanimé de vieux cadavres ravis de quitter leurs placards. La jeune femme ne sortait presque plus de sa chambre et ses manches atteignaient maintenant les paumes de ses mains.

Et les Insoumis ne savaient toujours pas ce que Grüber comptait faire. En l'absence de Sarah Mac Laine, le directeur n'avait pas eu le temps de s'occuper en personne des adolescents. Après la dénonciation de Jason, il avait convoqué Max et lui avait ordonné de prendre « quelques jours de repos » à l'extérieur du Centre. Ce dernier avait tenté de protester mais il était difficile de résister au psychiatre.

Bref, il restait Vince.

Et moi ! songea Adam, en pensant au fiasco des récents événements.

Assis à la table des Insoumis – les membres du groupe avaient pris l'habitude de manger ensemble au réfectoire –, l'adolescent observait Rachel à la dérobée. Elle faisait semblant de manger, semblant de sourire, semblant de tout. Et Vince était incapable de le faire plonger.

Impossible de m'immerger seul dans l'Inside... Impossible ou suicidaire...

Adam soupira. Il se leva et s'assit en face de Rachel. La jeune femme mit un long moment avant de réaliser qu'il était là.

« Adam... Je ne t'avais pas vu, excuse-moi... »

Dans quel gouffre s'était noyé le regard de Rachel d'ordinaire si fort ? Elle ressemblait à un androïde désuet à bout de batterie.

« Je sais... C'est juste que...

— Que tu as envie de vérifier la théorie d'Alex, répondit-elle dans un clignement de cils.

— Oui, je veux savoir, je veux communiquer avec Charles une dernière fois. »

Rachel pencha la tête. Juste ce qu'il fallait pour que ses mèches la dissimulent.

« J'ignore si je suis encore capable de t'envoyer là-bas... »

Ses lèvres tremblaient.

« Mais tu disais...

— Je sais très bien ce que je t'ai dit, asséna-t-elle sèchement. Je pense connaître la procédure d'immersion mais j'ignore comment t'aider si ça tourne mal.

— Y a pas de raison.

— Tu rigoles ? Regarde autour de toi... On n'est pas vraiment dans une phase qui pousse à l'optimisme. Même les infirmières font une drôle de tête. Je n'ai jamais vu le Centre dans cet état...

— Justement, personne ne fera attention à nous ! »

Rachel le dévisagea. Adam crut déceler dans son regard une once d'admiration, quelque chose d'autre aussi.

« C'est exactement ce que je t'aurais dit il y a quelques jours... Mais maintenant... »

La jeune femme essuya la larme qui coulait sur sa joue.

« Je... je ne veux pas te perdre aussi... »

« Elle est amoureuse ! Elle est amoureuse ! La timbrée est amoureuse du schizo !

— Champagne, ma chère ! »

Adam était sidéré. Il venait de prendre un uppercut en plein ventre. Et le couple infernal dissimulé dans les tréfonds de son psychisme s'en donnait à cœur joie.

« Ça va donner quoi, à ton avis ?

— Tu veux dire... Tous les deux ?

— Naaan, t'es bête ! Leur petite virée dans l'Inside...

— Tu veux mon avis ?

— Moui.

— Ça va régler tous nos problèmes.

— On va être libres ? Débarrassés du Comique et du petit schizo ?

— Dé-fi-ni-ti-ve-ment, ma chère, définitivement.»

*

Adam et Rachel étaient parvenus à l'aplomb de la salle d'immersion numéro quatre.

Se faufiler jusqu'aux faux plafonds, puis se glisser entre les parois d'aluminium du réseau de ventilation n'avait pas été difficile. La plupart des infirmières restaient confinées dans leurs quartiers, comme si elles évitaient les patients, se contentant du service minimum. À cette heure, les agents de sécurité avaient terminé leurs patrouilles et ils passaient de longs moments sur la Toile à massacrer des monstres virtuels ou à diriger d'immenses mégalopoles par procuration. Rares étaient ceux qui jetaient encore un coup d'œil aux écrans de contrôle. Le Centre était livré à lui-même, vaisseau maudit à la dérive.

Les deux adolescents se coulèrent dans la pièce vide par la trappe qu'ils venaient d'ouvrir.

La lueur émeraude distillée par le panneau « Sortie de secours » s'écorchait sur les angles aigus des moniteurs.

Pas un bruit.

Juste le souffle un peu court de Rachel, et le couinement discret des semelles d'Adam sur le sol. Même les odeurs avaient déserté la pièce, laissant place à une neutralité affreusement clinique.

Adam trouva l'interrupteur. Claquement des néons, lumière crue. Rachel sortit de sa torpeur. Sans attendre que les tubes lumineux aient achevé leur cycle, elle se dirigea vers la console de contrôle.

Quatre écrans incrustés dans le métal, dominant une forêt de boutons, de pads et de curseurs. Des milliers de réglages possibles, de combinaisons subtiles pour une immersion soigneusement personnalisée... À condition de posséder le mode d'emploi.

Mais la jeune femme ne semblait pas s'en soucier. Elle laissait courir ses doigts sur la console, appuyant sur un interrupteur, effleurant une dalle tactile, réglant un potentiomètre. Des petits gestes précis, rapides, pour réanimer le dispositif.

Une légère vibration emplit l'atmosphère, suivie d'un parfum d'ozone et de poussière surchauffée.

Adam se dirigea vers l'imposant fauteuil – le « Divan » comme le surnommait Grüber – de plastocuir blanc qui dormait sous une toile polymère. Il arracha l'écrin tandis que les tentacules du dispositif d'immersion s'illuminaient d'une lueur bleu acier. L'adolescent démêla l'enchevêtrement de fibres et commença à les disposer sur son cuir chevelu. Les microgriffes qui en garnissaient les extrémités s'enfoncèrent de quelques nanomètres dans l'épiderme épais. Adam ne grimaça pas. À la vingtième plongée, la peau s'était déjà adaptée.

« C'est bon pour moi », lança-t-il en s'allongeant.

Aussitôt le matériau du fauteuil se moula contre sa colonne vertébrale, ses côtes, ses hanches. Et bientôt, il eut l'impression de flotter dans les airs.

« O.K., Reset est en phase de lancement, murmura Rachel. Ça devrait être prêt dans quelques secondes. Juste le temps de charger l'enregistrement de Charles...

— Max t'a donné les codes d'accès ?

— Oui, juste avant de quitter le Centre.

— Tu penses que ça va marcher ?

— Tu n'aimerais vraiment pas savoir ce que je pense... » commença la jeune femme avant de se figer, interrompue par un bruit dans les faux plafonds.

Une reptation maladroite, quelques impacts – chaussures contre aluminium ? –, et une série de grognements. Mi-souffles, mi-râles, humains, peut-être.

« Qu'est-ce que c'est ? » chuchota Rachel.

Elle hésitait. Il était bien trop tard pour éteindre les lumières et tenter de se cacher.

Adam haussa les épaules, le regard rivé sur l'ouverture dans le faux plafond.

Deux pieds apparurent.

Deux baskets éculées dont la toile écrue portait des croquis pour G.I.T.M.

Vince !

« Vince, tu nous as fichu une de ces trouilles ! le tança Rachel. Qu'est-ce que tu fais ici ? »

L'adolescent fouilla ses poches, en tira son carnet qu'il commença à feuilleter.

« Laisse tomber, on n'a pas trop le temps... Puisque tu es là, tu vas m'aider. Tu vas surveiller les écrans là et là. Ils permettent de savoir si Adam va bien, compris ? »

Vince acquiesça mais il insista pour leur montrer un dessin. C'était un portrait d'Alex, particulièrement réussi. Il était assis devant un écran d'ordinateur.

« Alex est avec nous ? » demanda Rachel.

Vince confirma.

« Alors, on n'a plus aucune raison de s'inquiéter !, s'exclama-t-elle avec un enthousiasme retrouvé. Adam tu es prêt ?

— Quand tu veux ! »

Il était heureux.

Il aimait plonger dans l'Inside, il se sentait en phase avec cette réalité qui n'en était pas une. Cette grande illusion où tout était possible. Et malgré sa dernière expérience, il ne pensait qu'à une seule chose : retrouver le lapin blanc, le suivre pour parler à Charles. Car il était convaincu que l'hypothèse d'Alex, la rémanence et tout le reste, était la bonne...

À l'instant où il allait clore les paupières, juste avant que les ondes magnétiques émises par le casque ne rentrent en phase avec son cerveau pour induire le sommeil, que les nanobots s'éveillent, prêts à décharger leurs messages moléculaires, Vince lui glissa une esquisse devant les yeux.

Un autoportrait qui le représentait, un stylo à la main. Sur le croquis, Vince était en train de dessiner une sorte de dragon, la gueule ouverte face à un monstre étrange.

« Qu'est-ce que tu veux dire ? » demanda Adam.

Puis il comprit.

« Tu es là pour moi, pour me secourir si besoin ! »

Vince sourit.

« Et voilà la Dream Team au complet ! Le muet, la timbrée, l'autiste et le schizo... Eh bien, je crois que tu as raison, mon amour, dans moins d'une heure, on s'ra plus emmerdé par le petit crétin.

— Enfin seuls, mon chéri !

— Tous seuls à danser au milieu de sa tombe crânienne ! »

Séquence 12 **PARANEURAL ACTIVITY**

0#.52.18

La pluie, encore, immuable.

Noire.

Une averse de ténèbres écorchant le béton, découpant les gratte-ciel en fines tranches lumineuses pour s'abattre sur les épaules des passants.

Des dizaines de silhouettes engoncées dans des costumes noirs, enfermées dans les cloches translucides de leurs parapluies, envahissaient les trottoirs saturés d'eau.

Adam, immobile, observait l'étrange ballet de ces poupées mécaniques qui entraient, sortaient des buildings, crachées par les portes à tambour.

Des cafards, une armée de cafards.

Une marée sombre, auréolée par les néons des manches lumineux de leurs corolles protectrices.

L'adolescent enfila la bandoulière de son sac et rabattit sa capuche sur son visage.

Il était encore sous les arches de la station de métro et attendait. Peu à peu, ses sens s'éveillaient, son cerveau s'acclimatait à l'Inside. Mais sa démarche était encore hésitante lorsqu'il s'engagea sous le flot humide. Les bots qui pulsaient entre ses neurones avaient besoin de plus de temps pour maîtriser son enveloppe virtuelle.

Le liquide gelé s'infiltra instantanément entre les fibres de son sweat, recouvrant sa peau d'une fine couche irritante, presque corrosive.

Adam se contracta. Jamais il n'avait éprouvé une telle sensation, comme si la pluie était chargée d'acide.

Il pressa le pas, cherchant un abri. Mais le flot des complets veston brouillait ses repères. Ils étaient des centaines et semblaient venir de partout à la fois.

Un bug, probablement, pensa-t-il.

Il joua des coudes et parvint à se faufiler entre deux flux contraires pour se réfugier dans une antique *cabine téléphonique* – il avait vu ça sur la Toile, c'était avant les Terms, bien avant les Smart-Coms.

L'espace confiné empestait le tabac froid et la pollution.

Adam extirpa son Term de son sac et tapota la dalle tactile. La matrice réagit aussitôt, libérant quelques pixels bleus.

L'écran d'accueil peinait à s'afficher.

L'infime vibration du boîtier témoignait pourtant que le système s'animait. Quelques icônes, une ou deux courbes, l'ébauche d'un plan, apparurent et... rien d'autre.

L'image inachevée restait figée.

Merde !

Adam reboota la machine. Il n'y avait pas grand-chose de plus à faire. Il soupira et plongea son regard dans l'orage qui déchirait le ciel.

Rachel.

Elle était là, quelque part, à veiller sur lui. Il y avait Vince aussi et Alex aux manettes, dans sa chambre.

De l'autre côté. La réalité...

Un truc difficile à imaginer lorsque l'on était immergé dans l'Inside, que l'on *vivait* au cœur de cette ville qui ne semblait plus du tout virtuelle. L'espace d'un instant, Adam essaya de se figurer son corps – *l'autre*, de chair et de sang – reposant sur le plastocuir du Divan. Il s'efforça de ne pas simplement s'en rappeler mais de le ressentir aussi intensément que cette enveloppe informatique produite par Reset, d'écouter battre son propre cœur.

En vain.

Son cerveau était persuadé qu'il *était* là, dans cette cabine téléphonique. Il lui devenait impossible de se dire qu'il existait autre chose, *ailleurs*.

« Un truc de fou, non ? » commenta le Comique.

Adam secoua la tête comme si cela suffisait à balayer ses symptômes. Puis il se concentra sur la ville, tout autour.

Les gratte-ciel semblaient plus hauts, plus imposants, plus menaçants dans leurs armures de verre-miroir. Il y avait aussi ces écrans, plus nombreux que d'habitude, ces fenêtres démesurées, saturées de visages sirupeux de mannequins siliconés et de pictogrammes publicitaires. Les mots s'effaçaient, vaincus par les images et les symboles.

Adam fronça les sourcils. Quelque chose n'allait pas.

Les sons semblaient lointains, feutrés. Au début, il avait pensé que c'était un effet de l'immersion, que ses oreilles n'étaient pas encore en phase. Mais le phénomène se prolongeait bien plus longtemps que d'ordinaire.

À présent, les bruits se modifiaient, distordus, s'amplifiant quelques secondes pour disparaître. Et bientôt, il ne resta plus qu'un battement régulier, sourd. La pluie heurtait le plexi-verre de la cabine mais on ne percevait que le pas des passants résonnant sur le goudron, frappant les flaques à l'unisson comme une troupe en marche.

L'adolescent s'attarda sur la foule. Des créatures à l'allure mécanique, bien loin du réalisme habituel.

Des robots.

Il devait s'agir d'une version fruste du programme. Rachel n'avait pas dû réussir à lancer la cession correctement.

À moins qu'il ne s'agisse d'un effet de l'enregistrement.

Il se pencha de nouveau sur son Term.

#.4I.2 !

Seul un étrange compte à rebours s'était affiché.

L'adolescent fixa les symboles sans comprendre. Impossible d'interpréter cette suite de nombres et de signes. Restait juste à espérer que devant le dièse se cachait un chiffre supérieur à zéro.

Sinon, cela signifiait qu'il devait rejoindre l'hôpital en moins d'une heure.

D'un pouce, il effleura l'écran. Deux coups sur la dalle firent apparaître un fouillis de lignes, de parallélogrammes et de figures géométriques improbables. La ville, ou plutôt un vague schéma, en filaments bleuâtres. Aucune trame, aucun détail, juste les contours de quelques buildings et le tracé des artères principales.

Ce n'est pas si mal.

Trois icônes se mirent à pulser.

Un carré vert représentant le building de Johnson & Johnson, une croix bleue pour l'hôpital et un minuscule bonhomme rouge qui le figurait.

Il était tout près de l'endroit où Charles...

Adam inspira profondément.

Il ignorait ce qu'il allait trouver dans le grand bureau où son ami avait souffert, il commençait même à douter de l'intérêt de cette aventure.

Mais il y avait Rachel. Vince et Alex, aussi, les Insoumis. Tous espéraient qu'il découvrirait un indice, une trace de l'homme-enfant. Qu'il pourrait peut-être même lui parler une dernière fois. Ils avaient tous besoin de croire que c'était possible, que le phénomène de rémanence leur permettrait d'assister à un miracle...

Mais lorsqu'on y réfléchissait, l'espoir était mince.

En réalité, nul ne savait comment réagirait l'Inside avec un simple enregistrement. Reset n'avait pas été conçu pour cela, il avait été programmé pour connecter le psychisme de plusieurs personnes. Deux, trois esprits qui façonnaient la réalité virtuelle, ensemble.

« Tiens, le schizo commence à pisser dans sa culotte.

— Je te l'avais dit, mon chéri ! »

Adam refusa de prêter attention au couple infernal. Hors de question de renoncer maintenant !

Un dernier coup d'œil sur le Term et il s'engagea de nouveau sous le déluge.

§◘.4+.)2

À chaque pas, l'adolescent sentait que la foule s'intensifiait.

D'abord, les silhouettes se contentèrent de le frôler puis elles se firent plus insistantes, plus présentes, comme si tous les passants ne formaient qu'une seule et même entité s'efforçant de digérer ce corps étranger qui s'immisçait entre eux.

Il tenta de s'écarter, de quitter le trottoir, mais les épaules s'étaient rapprochées, et formaient une véritable muraille vivante. Il insista, parvint à gagner quelques centimètres lorsqu'une douleur intense au niveau des côtes le stoppa net.

Il leva les yeux vers l'homme qui venait de le heurter et se retint de hurler.

Son visage !

Aucun trait reconnaissable, juste une bouillie informe et rose. À la place des yeux, deux trous noirs. Même son sourire n'était qu'une plaie ouverte dans un masque de chair.

Surpris, Adam recula et trébucha. Les créatures se figèrent puis se tournèrent vers lui. Lentement.

Des clones, des centaines de clones, horriblement inhumains, aux visages de pâte à modeler.

En revanche, Adam distinguait parfaitement la trame de leurs vêtements, le mouvement de leurs cheveux, il pouvait même sentir leur parfum. Ce n'était donc pas une erreur du programme, une approximation comme il l'avait d'abord supposé.

Un filet de sueur glacée coula sur sa nuque.

Les passants commencèrent à former un cercle silencieux autour de lui. Puis, d'un même mouvement, ils arrachèrent chacun la cloche de plastique qui les protégeait de la pluie, ne conservant que le manche lumineux.

Le Term d'Adam se mit à vibrer. Trois mots s'affichèrent sur l'écran, pulsant de rouge :

```
Fonce, imbécile ! Cours !
```

Impossible de savoir d'où venait ce message. Mais une chose était sûre, il avait raison. Adam fouilla les alentours du regard.

À quelques mètres sur sa gauche, une saignée de ténèbres s'ouvrait entre deux bâtiments. Avec un peu de chance, il pourrait l'atteindre.

Il improviserait ensuite, pour gagner du temps...
Quelques précieuses minutes pour qu'Alex trouve une
solution.

Quitte ou double, songea-t-il.

Avant qu'il ne soit complètement encerclé, Adam se
releva et se mit à courir. De toutes ses forces, il bouscula
les deux clones qui tentaient de lui barrer le passage et
s'engouffra dans la ruelle sombre.

Durant quelques secondes, il n'y eut que le bruit de
ses pas et l'écho de son souffle qui ricochait contre les
briques des immeubles. Puis l'asphalte se mit à vibrer. Des
milliers de talons s'étaient mis en mouvement, emplissant
l'air d'un battement sinistre.

Adam accéléra.

Dans son dos, la horde avançait, tranquillement, comme
un prédateur certain que sa proie ne peut lui échapper.

Et soudain, plus rien. Le silence, absolu. Adam ralentit, jeta un coup d'œil en arrière. Au loin – il avait donc
couru aussi longtemps ? – la lueur verticale de l'avenue.

Personne...

Il appuya les mains sur ses cuisses pour souffler. Ses
bronches le brûlaient et les crampes menaçaient de para-
lyser ses muscles.

Mais qu'est-ce qui se passe, merde ?

Adam ressortit son Term. L'icône de l'hôpital pulsait
faiblement à la limite de l'écran.

Au moins, je suis dans la bonne direction...

Un contact sur son épaule, des doigts qui se ferment
sur son cou.

Adam sursauta et pivota.

Des néons et de nouveau ces visages par centaines
qui venaient juste d'apparaître à quelques mètres de lui.

L'adolescent se dégagea de l'étreinte et se remit à courir vers l'obscurité. Mais il ralentit aussitôt. D'autres lumières venaient vers lui, en face.

Pris au piège !

Un souffle d'air glacé attira son attention sur la gauche, légèrement en hauteur. Quelques flocons voletèrent jusqu'à lui.

La Yuki ?

Il leva les yeux et reconnut le squelette décharné d'un vieil escalier de secours. Les dernières marches étaient à peine à deux mètres du sol. Il lui suffisait de sauter.

Les clones gagnaient du terrain, inexorablement. Il s'élança.

Il geignit lorsque le métal s'enfonça dans la chair de sa paume mais il tint bon. Il contracta les muscles de ses bras, s'éleva de quelques centimètres.

Une main bloqua sa cheville.

Adam grimaça. Son cœur semblait vouloir sortir de sa poitrine. Il s'efforçait de ne pas regarder en bas mais il entendait le souffle de ses agresseurs, sentait leur impatience. S'il cédait, il serait sans doute roué de coups, jusqu'à ce qu'il perde connaissance. Ce qui signifiait...

Non !

Il refusait de finir avec un tube dans la bouche, une perfusion à chaque bras, jusqu'à ce que quelqu'un décide de le débrancher.

Il tendit le cou vers le ciel.

« Rachel, merde ! Fais quelque chose ! » hurla-t-il.

Alors, tout se figea.

Les gouttes de pluie restèrent suspendues dans les airs tandis que la température chuta. Un visage se matérialisa à sa hauteur. Les traits d'une jeune femme qui souriait.

La Yuki-Onna.

Il sentit l'étau se desserrer autour de sa cheville, la clameur s'éteindre. Il dégagea sa jambe et se hissa sur la passerelle au moment où le fantôme se dissipait dans un nuage de flocons.

En contrebas, des dizaines de clones en complets veston noirs le regardaient, figés dans des blocs de glace. Mais déjà, la couche gelée se fendillait, d'imperceptibles mouvements s'ébauchaient.

Le répit serait de courte durée.

Adam en profita pour gravir les marches quatre à quatre. Le plus haut possible, jusqu'à ce qu'il trouve enfin une porte qui cède sous son épaule.

8 !.ø5.6 ¶

Il s'engouffra dans un long couloir lépreux qui exhalait la moisissure et l'urine. Au plafond, on distinguait le plancher supérieur mité. Les yeux rivés sur la progression de sa propre icône, Adam traversait des corridors déserts sans prêter attention au décor. Pour ne pas savoir ce qu'il y avait derrière ces battants rongés d'humidité, pour ne pas laisser la terreur le submerger.

Soudain, l'écran de son Term s'éteignit, le plongeant dans la pénombre.

« Alors, le schizo ? On fait moins le fier... »

La voix avait éclaté au-dessus de sa tête.

Il leva les yeux et...

Docteur Jekyll !

À ses côtés, dégoulinant de bourrelets et de maquillage, Miss Hyde le couvait d'un regard concupiscent.

Séquence 13   **WIREMARE ON ELM STREET**

Le sergent « Bloody » Shwark était heureux. Affreusement déformé, mais heureux.

La rosace violine du Mérite galactique tranchait avec bonheur sur l'étoffe noire de son uniforme d'apparat. Derrière lui, les satellites d'Ark'On-3 incendiaient les reliefs de la planète, auréolant ses épaulettes chromées de lueurs rouges. Une photo magnifique, tout droit sortie de « Bloody Sunday », l'un des épisodes les plus sombres de la série, l'un des préférés de Charles, aussi.

Mais pour l'heure, le visage du sous-officier souffrait, horriblement étiré par l'imposante poitrine de Miss Hyde campée dans la pénombre à l'étage du dessus. Les deux énormes seins bouffissaient les traits imprimés jusqu'au grotesque.

Adam en aurait sans doute souri s'il n'avait pas reconnu le motif du T-shirt que portait son ami Charles lorsqu'il était entré chez Johnson & Johnson.

Son estomac se noua de dégoût tandis qu'une colère froide montait en lui. Des flots d'adrénaline faisaient bondir ses artères, accélérer le rythme de son cœur.

« Hé, le schizo, tu trouves pas que ça me va bien ? pérora la femme-pachyderme.

— Ouais, j'dirais même que c'est sexy ! »

Le docteur Jekyll avait passé ses jambes dans le trou du plafond, juste à l'aplomb d'Adam. Sous sa vieille redingote élimée, on devinait une musculature puissante. L'homme poussa sur ses bras et s'élança dans le vide.

L'adolescent hésita à s'enfuir. Mais sa haine était bien plus forte que sa peur.

« Qu'avez-vous fait de Charles ? » hurla-t-il au visage de Jekyll lorsque ce dernier eut touché le sol.

La créature pencha la tête dans un sourire cruel.

« Tu veux vraiment le savoir ?

— Oui !

— Tes désirs sont des ordres ! » acheva-t-il en lui plaquant la main sur le front.

Une paume humide, écœurante, semblable au baiser d'une limace géante.

Adam voulut rompre le contact mais les doigts du docteur Jekyll semblaient adhérer à sa peau.

« N'aie pas peur, le schizo... Ça ne va pas te faire mal... Ça va juste t'anéantir ! »

Et les images se mirent à défiler.

À toute vitesse.

Charles-sous-la-pluie-Son-T-shirt-trempé-Le-verre-miroir-des-buildings-Johnson-et-Johnson-Les-portes-de-l'ascenseur-La-moquette-épaisse.

Puis s'imposèrent les bruits.

Le-frottement-des-semelles-Le-fracas-du-Black-Dog-dans-le-distributeur-La-voix-de-l'homme-La-voix-de-l'homme.

« Bonjour, je suis monsieur Johnson, Marc Johnson, et toi ?... Mon fils m'accompagne souvent, il a le même âge que toi, tu sais... Après, il n'y a plus que le ciel. »

Les paroles résonnaient avec une précision extraordinaire. Adam ignorait que le cerveau était capable d'enregistrer autant d'informations en si peu de temps.

Il sentit que son visage se couvrait d'une fine pellicule gelée, que toutes les extrémités de son corps refroidissaient. Des mouches envahirent son regard. La crise n'était plus très loin.

« Pas question que tu loupes le meilleur ! » tonna Jekyll en le giflant.

Adam recula sous l'impact, le visage couvert de larmes. Son corps tremblait de la tête aux pieds mais au moins les séquences avaient cessé. Peinant à reprendre sa respiration, il se laissa couler le long du mur, écrasant son sac.

« Eh bien, c'est pas bien solide, un schizo ! » ironisa Miss Hyde qui contemplait le spectacle de son balcon improvisé.

« On continue ma chérie ? » demanda Jekyll en s'approchant d'Adam.

Ce dernier s'efforçait de retrouver son calme, de chasser la terreur qui empoisonnait son esprit.

Se concentrer sur ma respiration.

D'abord, l'inspiration.

Sentir l'air qui pénètre dans mes poumons...

À chaque expiration, chasser toutes les choses négatives.

« Allez, mon grand, on y retourne ! »

Jekyll tendit le bras.

Mais Adam ne le regardait plus, il s'était réfugié au fond de lui-même, derrière le rempart hypnotique qu'il venait d'ériger en espérant que cela suffirait à contenir l'assaut.

Il sursauta lorsque l'homme le toucha.

À chaque inspiration...

Le film refusait de démarrer.

... l'air qui pénètre efface les images...

Le docteur Jekyll resserra l'étau sur ses tempes.

Charles apparut.

... la peur recule...

L'homme-enfant était étendu. Adam savait qu'il ne pourrait résister très longtemps, qu'il faudrait un miracle pour...

« Fous-lui la paix ! »

Le Chapelier !

L'ordre avait claqué comme un coup de feu.

« Tiens, tiens, on dirait que la cavalerie est enfin arrivée ! » railla Jekyll en se retournant, abandonnant sa proie.

Adam soupira de soulagement. Le Chapelier, droit dans ses bottes en crotale, s'était planté face au docteur Jekyll, un étrange boîtier à la main.

« Attention, mon chéri, c'est un implant ! avertit Miss Hyde, du haut de son perchoir. Dieu sait de quoi il est capable !

— T'inquiète, mon amour, je m'en occupe... Alors, le cowboy, on fait quoi maintenant ? »

Les yeux dans les yeux, les deux hommes se jaugeaient avec morgue.

Dans un claquement d'éperons, le Chapelier s'avança un peu plus et planta son doigt dans le plexus de son adversaire.

« Tu vas prendre ta grosse sous le bras et retourner sagement dans ton disque dur...

— Ah ouais, et comment tu comptes t'y prendre pour m'y forcer ? »

L'homme au Stetson cracha son cure-dent.

« *Well,* j'ai tout ce qu'il me faut...

— Tu crois que je vais avoir peur de ce jouet ? Que dis-tu de ça ? »

Jekyll exhiba sa main droite d'un air satisfait. Au creux de sa paume, un cube d'acier se matérialisa. Sur chacune des faces, des motifs complexes irradiaient une lueur verdâtre.

Le Chapelier garda le silence mais son visage avait blêmi. Un tic nerveux agitait sa lèvre inférieure lorsqu'il se tourna vers Adam.

« File, le camion est en bas !

— Mais...

— Fais ce que je te dis ! »

Adam se remit sur ses jambes dans un état second.

Ne pas réfléchir, surtout ne pas réfléchir...

Il s'éloigna dans le couloir.

« C'est ça, le schizo, cours... On se retrouvera un peu plus tard, Charles n'a pas encore fini de te raconter son agonie...

— On le laisse partir ? demanda Miss Hyde, un soupçon de déception dans la voix.

— T'inquiète, on s'en occupera plus tard...

— Vous n'en aurez pas l'occasion ! »

Le Chapelier tendit le bras. Une sorte de rayon lumineux jaillit de son appareil et frappa Jekyll.

Celui-ci sourit tandis que son corps absorbait la lueur. Pendant un bref instant, la trame de ses vêtements, de sa peau, de ses traits s'effaça, laissant apparaître les milliards de losanges minuscules qui composaient l'architecture de son enveloppe artificielle.

« Chéri ! » cria Miss Hyde en sautant de son balcon improvisé.

L'impact fit trembler tout l'étage.

La grosse femme émit un hurlement suraigu et se jeta sur le Chapelier.

Ce fut la dernière chose qu'Adam entendit avant de tourner dans le corridor qui conduisait vers l'extérieur.

3;- [-@4

Les accents sirupeux de Dolly Parton s'accordaient merveilleusement avec le parfum acidulé de la cabine. Au-dessus du tableau de bord, un tube de plastique éventré étalait ses cure-dents tandis qu'une poignée de sucettes traînait sur le plastocuir du fauteuil passager.

Adam se sentait bien dans le camion du Chapelier, à l'abri, en sécurité.

D'un coup d'œil rapide, il comprit que l'engin fonctionnait exactement comme les véhicules de *Words of Steel*. Quelques accords, une mélodie, une rythmique en guise de carburant.

Le moteur ronronnait, bercé par la voix de la chanteuse *country*. Il attendait, ils attendaient, le Chapelier.

Impossible de savoir depuis combien de temps...

¶{-øÇ-83

Le compte à rebours affichait des résultats toujours aussi fantaisistes. Heureusement, Parton semblait inépuisable. Elle enchaînait tube sur tube sans s'accorder la moindre pause, sans laisser la moindre chance au silence de s'immiscer.

Au fil des guitares, Adam s'était apaisé et il était persuadé à présent que le Chapelier allait apparaître, d'un moment à l'autre. Il lui jetterait un regard victorieux et complice avant de sortir son paquet de cigarettes, d'en choisir une moins écrasée que les autres. Il la tapoterait longuement sur le revers de son poignet pour tasser le tabac puis la ficherait au coin de sa bouche.

Ce ne fut pas le craquement d'une allumette qui fit sursauter Adam mais le fracas d'une porte violemment ouverte.

L'adolescent crispa ses mains sur le volant en fixant le battant.

Personne, pas l'ombre d'un Stetson ou d'une paire de bottes.

Lorsque, tout à coup, une masse imposante jaillit des ténèbres, traversa le seuil avant de s'écraser sur le bitume à quelques mètres du capot. La forme évoquait celle d'un corps humain mais elle n'était composée que d'une trame élémentaire de filaments bleus encerclant des fragments d'obscurité. Ni vêtement ni épiderme, comme s'il s'agissait d'une ébauche informatique en train de naître ou de s'effacer...

Adam étouffa un cri d'horreur lorsqu'il réalisa que le cadavre portait une paire de bottes.

Aussitôt, Jekyll apparut.

« Alors, le schizo ? Tu penses toujours pouvoir m'échapper ? »

L'adolescent, pétrifié, ne pouvait détacher ses yeux de la dépouille fragmentaire du Chapelier. Il ne parvenait pas à s'imaginer le cow-boy mort.

« Regarde ce que je vais faire à ton cerveau. »

Le docteur Jekyll extirpa le cube d'acier de sa redingote. Il pressa l'un des motifs et l'objet se déplia comme une sorte de casse-tête animé. Les pièces coulissèrent les unes sur les autres pour finir par libérer deux longs câbles semblables à du fil barbelé. À l'instant où ces derniers touchèrent le Chapelier, celui-ci se cabra en silence. Puis, il se dissipa en une multitude de petites pièces identiques à des éclats de verre.

« C'est beau, non ? déclara le docteur Jekyll en s'avançant. Maintenant ça va être ton tour... »

Agir ! Vite !

Mais Adam, le cerveau sidéré, ne parvenait pas à trouver une solution.

« Rachel ! Alex ! hurla-t-il en direction des cieux.

— Tu crois vraiment qu'ils peuvent faire quelque chose contre moi ? Cet Inside est à moi, je suis l'Inside ! »

Adam ferma les yeux.

« Je me demande si tu vas souffrir... poursuivit Jekyll. Je veux dire, si tu vas vraiment ressentir de la douleur. Mais quoi qu'il arrive, ton cerveau va m'appartenir, définitivement. Nous ne serons plus encombrés par tes petites misères, ta vie minable. Rachel, Alex, Vince et ce cher Charles... »

Nooon !

« Sons ! "Back to Destruction" ! »

Aussitôt, la voix de Dolly Parton s'éparpilla, vaincue par les riffs puissants d'une guitare électrique saturée. Le moteur rugit et le camion bondit en avant à l'instant précis où les chaînes se déployaient.

L'adolescent écrasa son pied sur l'accélérateur, libéra le frein et percuta le docteur Jekyll de plein fouet. Sans un regard dans le rétroviseur, il s'engagea dans une avenue, droit vers l'hôpital.

Sortir ! Rejoindre le Centre. Vite !

Adam refusait de penser à ce qu'avait pu devenir le Chapelier. La seule urgence était de s'extraire de ce piège.

« Ce n'est pas très gentil, ce que tu as fait, tu sais... »

Adam sursauta.

Miss Hyde était là, juste derrière lui. Elle avait surgi de l'arrière de la cabine et tentait de glisser son énorme corps entre les sièges avant pour mieux l'atteindre.

« Je vais devoir te punir... »

Adam boucla sa ceinture de sécurité et accéléra encore.

La femme, coincée entre les fauteuils, renonça à le rejoindre et posa ses deux mains boudinées autour de son cou.

« Il ne fallait pas faire de mal au docteur Jekyll ! »

Elle serrait de plus en plus fort et Adam commençait à étouffer.

« Rassure-toi, le schizo, c'est bientôt fini... »

Mais l'adolescent n'avait pas renoncé, pas encore. Il se leva, droit sur la pédale de frein.

Le camion stoppa net.

Miss Hyde lui jeta un regard surpris. Puis elle s'envola, emportée par la brusque décélération. Son corps traversa le pare-brise avant de rouler sur le capot.

« Angel ! »

Les percussions d'Angel Squad firent vibrer la cabine. Le moteur hésita une seconde, se cabra et démarra. Adam donna un coup de volant tandis que le chanteur égrenait ses paroles prophétiques :

« *Angels fallin' down the earth... Fighting till devil's death... White avenging flood... Blessing for demon's blood...*[1] »

---

1. Les anges descendent sur la terre... Pour combattre jusqu'à la mort du diable... Marée immaculée et vengeresse... Réclamant le sang du démon...

Séquence 14　BAKUMAN

Plus il progressait, plus les façades se rappro-
chaient. Quartier après quartier, elles avançaient avec une
immuable régularité. Quelques centimètres gagnés sur
le goudron crevassé des trottoirs, jusqu'à les faire disparaître totalement.

Downtown.

Les buildings avaient disparu, cédant la place aux
briques crasseuses des logements sociaux à l'abandon.
À en croire le Term, l'hôpital était tout proche, moins
d'un kilomètre, à condition que ses indications soient
encore fiables.

Une fois arrivé, Adam n'aurait plus qu'à localiser
les blocs opératoires et rejoindre la salle de réveil pour
s'échapper de cet enfer.

S'il parvenait jusque-là...

Car c'était maintenant au tour de la chaussée de rétré-
cir. Les immeubles gagnaient sur la route, formant une
sorte d'entonnoir dans lequel le camion serait bientôt
bloqué. Les bâtiments dévoraient la lumière, tandis que
la pluie redoublait sur le pare-brise de la dépanneuse.

Les essuie-glaces peinaient à refouler ce déluge.

« On the grid of my mind, it's raining dark... Some of a kind, going me mad...[1] *»*

Adam s'était rabattu sur l'album le plus sombre, le plus lent des Sons.

Le véhicule du Chapelier roulait au pas, et bientôt, il faudrait l'abandonner. Déjà, le chrome des rétroviseurs extérieurs frottait contre les aspérités des murs.

L'adolescent pesa sur la pédale de frein et, dans un chuintement hydraulique, l'engin s'immobilisa, énorme rat blanc pris au piège d'un étrange labyrinthe.

Adam jeta un coup d'œil sur l'écran de sa console.

}"- « ¡-ø}

Les symboles occupaient l'intégralité de la surface, comme s'ils avaient phagocyté tous les pixels disponibles. En arrière-plan, l'icône de l'hôpital pulsait faiblement. Rien d'autre.

A priori, le bâtiment devait se situer de l'autre côté du bloc d'immeubles qui lui faisait face. Quelques centaines de mètres à peine.

Il prit une grande inspiration et ouvrit la portière.

L'averse s'apaisait. Les gouttes s'organisaient en une bruine légère, froide et pénétrante. L'adolescent ramassa son sac puis sauta du marchepied. Il enfonça les mains dans ses poches, dissimula son regard sous sa capuche puis s'avança sur l'asphalte.

---

1. Sur la Toile de mon esprit, les ténèbres tombent en pluie... Quelque chose du genre, pour me conduire vers la folie...

Concentré sur son objectif, Adam ne prêta d'abord pas attention aux minuscules lézardes qui creusaient le bitume. Mais le goudron commença à se fendiller sous ses pas, le sol semblait vouloir s'ouvrir en deux. Il baissa les yeux pour consulter son Term.

Effleurements sur l'écran de sa tablette.

Noir absolu. Même les diodes témoins refusaient de s'allumer.

Adam se noya dans le ciel. Les autres l'observaient sans doute.

Pourquoi ne font-ils rien ?

Sur sa gauche, une vieille enseigne attira son attention.

Émergeant entre les squames d'affiches déchiquetées, sept lettres de néon firent bondir son cœur.

Far-Away.

Charles !

S'il existait la moindre chance que l'homme-enfant se manifeste, c'était bien comme cela. Et tant pis si c'était un piège, Adam ne pouvait pas passer à côté d'un signe aussi évident.

Il poussa la porte du magasin. Celle-ci céda sans autre résistance que la protestation cristalline de sa clochette.

La boutique, étriquée, empestait le renfermé.

La pièce principale donnait sur une minuscule réserve dont on devinait les contours dans la semi-pénombre. Laissées à l'abandon depuis longtemps, elles étaient encombrées de centaines de boîtes, empilées les unes sur les autres.

Des répliques de vaisseaux spatiaux, dont le prestigieux *Navigator*, côtoyaient des figurines du capitaine Girk, du sergent Shwark et de quelques Malidoriens, les prédateurs de la galaxie. Emprisonnées dans leurs emballages de plexiglas et de carton, elles prenaient la poussière virtuelle de l'Inside dans l'attente d'une hypothétique libération.

Un paradis pour Charles.

Adam songea à l'ironie de cette réflexion puis extirpa une torche de son sac. Il balaya le moindre recoin avec son faisceau et avança prudemment. Mais la lueur ne dénicha que quelques insectes endormis.

Il n'était pas tranquille pour autant.

Quelque chose titillait son esprit. Un signal d'alarme dont il ne parvenait pas à déterminer l'origine. Sans doute un détail qui ne cadrait pas avec l'ambiance. Ce froid un peu trop intense peut-être ? Ou ce sentiment d'être observé ?

Adam jeta un œil par-dessus son épaule. Mais rien n'avait bougé.

Il reprit son exploration. Quelques pas vers la réserve et... Un bruit atroce lui écorcha les tympans, le crissement du métal contre le béton.

Il pivota lentement.

Des barbelés !

S'infiltrant sous la porte, un long câble hérissé d'épines métalliques serpentait dans sa direction. Le tentacule aveugle palpait chaque centimètre carré de la pièce, comme s'il cherchait quelque chose... ou quelqu'un !

Adam recula lentement, s'efforçant de ne produire aucun bruit.

Il s'enfonça dans les ténèbres de la réserve. L'air était gelé et quelques flocons virevoltèrent autour de lui.

Il éclaira le fond de la pièce et se mordit violemment la lèvre pour ne pas hurler.

La Yuki-Onna !

Elle était là, entravée de chaînes, crucifiée sur le mur. De ses poignets, de ses chevilles, perlaient de minces filets de sang qui venaient consteller sa robe blanche de perles rubis.

Adam fit un pas. Mais la jeune femme gémit, l'acier s'était resserré un peu plus, comprimant ses chairs. Comme si les entraves étaient vivantes.

« Ne bouge pas, Adam, s'il te plaît... Il n'y a rien que tu puisses faire pour moi... »

L'adolescent avait du mal à percevoir ses paroles tant son souffle était court, tant le grincement, dans l'autre pièce, s'intensifiait.

« Il faut que tu sortes d'ici, de l'Inside au plus vite...

— Mais...

— Chut... Pars. Il y a une trappe dans le plafond, un passage qui te conduira vers les toits... »

Adam ne savait plus quoi faire.

D'abord le Chapelier, maintenant la Yuki-Onna. Il était seul dans ce cauchemar.

« Dépêche-toi. Il va te retrouver...

— Mais, Charles ?

— Charles n'est plus, ni ici ni ailleurs... Tout ceci n'est qu'un piège mais n'oublie pas une chose...

— Oui ?

— Pense à Symphony X, penses-y *autrement*.

— Qu'est-ce que ça ve... »

La créature de fils barbelés ne le laissa pas finir. Elle venait de pénétrer dans la réserve et il ne lui faudrait pas longtemps pour le trouver.

Adam avisa un escabeau dans un coin. Il se précipita, l'installa sur ses pieds et gravit la volée de marches en moins d'une seconde. Le monstre d'acier se dressa, tel un cobra. Et, à l'instant où Adam soulevait la trappe, le câble fouetta l'air, renversant son perchoir précaire.

Sans reprendre son souffle, l'adolescent se hissa à l'extérieur. Aussitôt, l'orage s'abattit sur ses épaules. Un vent violent projetait les gouttes de pluie sur son visage.

Adam fouilla l'espace du regard. La terrasse, recouverte de gravier, était vide. Pas l'ombre d'un escalier, d'une corde, aucun moyen de descendre.

Pris au piège !

Derrière lui, l'acier progressait encore, dardant ses pseudopodes par l'orifice d'où il venait d'émerger.

L'adolescent réfléchissait à toute vitesse mais il n'y avait qu'une solution. Périlleuse, désespérée.

Tenter d'atteindre cette autre terrasse, juste devant lui. Mais pour cela il fallait bondir au-dessus du vide.

Quatre bons mètres.

Jamais il n'avait sauté aussi loin. Il ignorait même si c'était possible...

Son Term émit une plainte étrange.

Il jeta un coup d'œil sur l'écran. Le plan de la ville était réapparu, le compte à rebours aussi, parfaitement lisible. Mais l'icône de l'hôpital n'existait plus et les chiffres défilaient à toute allure.

$$00 : 44 : 32$$
$$00 : 42 : 01$$
$$00 : 30 : 23$$

Il n'avait plus le choix.

Adam recula, prit un maximum d'élan et se mit à courir de toutes ses forces. À chaque foulée, les visages de ses amis défilaient comme pour lui dire adieu. Vince. Alex. Charles.

Lorsqu'il s'élança, il n'y avait plus que Rachel.

$$00 : 20 : 12$$

Il flotta dans les airs, les bras tendus en avant.

Un mètre. Un mètre cinquante. Deux mètres.

Je dois y arriver...

Trois mètres cinquante.

Ses doigts touchèrent la brique. Ses ongles se remplirent de poussière rouge... et il décrocha.

Merde !

Adam ferma les yeux. Il ne voulait pas voir le sol se rapprocher, il ne voulait pas croire qu'il allait s'écraser... qu'en retour son cerveau subirait un tel choc, une telle décharge que les bots endommageraient ses neurones, le transformant définitivement en légume.

Non !

Sa chute stoppa net, lui coupant le souffle. Comme si l'ordre mental qu'il venait d'émettre avait suffi.

Il entrouvrit les paupières.

Un filet ! ?

Il était tombé dans une sorte de nasse tendue entre les deux bâtiments. Adam se redressa tant bien que mal en contemplant l'ouvrage qui l'avait sauvé.

Il aurait pourtant juré qu'il n'y avait rien avant qu'il ne s'élance. L'Inside n'avait plus rien de prévisible.

Il leva les yeux vers l'autre bâtiment et remarqua qu'une porte s'ouvrait dans le mur. Défiant toute logique architecturale, elle trônait à mi-hauteur, à peine visible, comme si elle avait été esquissée.

Derrière lui, le crissement de l'acier s'intensifia.

Pas le temps de réfléchir.

En deux enjambées, il rejoignit l'ouverture, s'y engouffra... et ressortit au beau milieu d'une rue ! Une silhouette se tenait là, le sourire aux lèvres.

Vince !

« Tu comptes attendre qu'il te découpe en tranches ou on s'en va ?

— Mais ?... commença Adam, complètement perdu.

— T'inquiète... Rachel maîtrise et Alex est aux manettes avec Max. »

Adam sourit, Dombrowski était définitivement de leur côté.

« Et tu proposes quoi ? L'hôpital a disparu...

— Pas tout à fait, regarde. »

Devant les yeux d'Adam s'étalait un champ de ruines.

« Comment c'est possible ?

— Max planche là-dessus. Pour l'instant, il ne peut rien faire de l'extérieur.

— On va finir grillés, alors ?

— Eh non ! »

Vince exhiba son carnet de dessin ainsi qu'un Term légèrement plus gros que les modèles habituels.

« C'est quoi ?

— L'arme absolue ! Le Mandrake.

— Le Mandrake ?

— Un nouveau truc d'Alex. Regarde... »

Vince se mit à griffonner sur une feuille. En quelques traits, la silhouette d'un chien se forma. Un pitbull.

Puis il glissa le croquis dans une fente aménagée sur le côté de son appareil. Aussitôt, quelques traits lumineux se matérialisèrent devant eux. Un squelette, puis des milliers de losanges et enfin des poils.

« Mais comment ?

— C'est Alex qui en a eu l'idée. Il nous a programmé ça en deux temps trois mouvements et Max l'a intégré à l'Inside. On peut tout faire !

— Si je vous en laisse le temps ! »

Les deux adolescents se retournèrent.

Johnson. L'homme qui avait agressé Charles se tenait devant eux, impeccable dans son costume griffé.

« C'est gentil d'être venu rejoindre votre camarade.

— Charles est encore là ? demanda Adam.

— Bien sûr... »

Un jingle discret l'interrompit. Le Term de Vince afficha une photo, un message de Max.

« La cavalerie ? » ironisa Johnson.

Adam jeta un coup d'œil sur le cliché. Il s'agissait d'un enfant, âgé de sept ou huit ans. Son regard brillait d'intelligence. Il se tenait droit, fier dans son costume trois-pièces. Il ressemblait étrangement à Johnson, bien trop pour que ce ne soit qu'une simple coïncidence.

« Ça veut dire quoi ? » demanda Adam.

Vince haussa les épaules. Un message apparut : *Dessine !*

« Et ça ?

— Qu'est-ce que vous complotez ? interrogea l'homme en s'avançant vers eux.

— Dessine ! Reproduis la photo et balance-la dans le Mandrake.

— Allez, les enfants, la récréation est terminée, il va être temps de rejoindre le petit Charles... » ajouta Johnson en fouillant dans sa poche.

Il en extirpa le cube d'acier.

« Savez-vous ce que c'est ?

— Un cube ? » proposa Adam avec ironie.

Il fallait gagner le plus de temps possible. Vince s'était déjà lancé avec frénésie dans le dessin.

« Non. Ton ami Charles aurait immédiatement répondu. Il s'agit du Fléau malidorien, l'arme la plus terrible de la galaxie, celle qui a anéanti ton cowboy prétentieux. »

Adam se souvint comment le Chapelier avait été balayé et frémit.

Il regarda par-dessus l'épaule de Vince pour voir où il en était. Le visage de l'enfant commençait à se former.

« Vous nous aviez promis de nous montrer Charles...

— Essayerais-tu de gagner du temps ? »

Adam garda le silence, la réponse était tellement évidente.

« Peu importe après tout. Je ne vois pas comment vous pourriez m'échapper. Tu voulais voir Charles, le voici... »

Johnson balaya le décor d'un geste large. Des centaines d'écrans se matérialisèrent sur les murs. Partout des lucarnes s'allumaient.

Gros plan sur le sergent Schwark imprimé sur la poitrine de Charles. Adam ne put s'empêcher de tressaillir.

« Adam... Pourquoi tu m'as pas aidé ? murmura Charles, les joues creusées de larmes.

— Je... »

Vince leva la tête, il avait fini. Il déchira la feuille de son carnet et la glissa dans la fente de l'appareil.

« Bon, puisque les retrouvailles sont consommées, vous allez maintenant pouvoir assister à ce qui lui est arrivé... »

L'homme s'interrompit. Il regardait sans comprendre l'entrelacs de filaments bleus en train de se matérialiser devant lui.

« Qu'est-ce que... ?

— Marc, pourquoi tu nous fais ça ? » demanda le jeune garçon qui venait d'apparaître.

C'était Johnson-enfant, contemplant le monstre-adulte qu'il était devenu.

« Ce n'est...

— Dis, pourquoi tu nous fais ça ? insista le môme.

— Je... je... Ce n'est pas de ma faute... »

— Menteur ! »

L'homme baissa la tête puis se laissa tomber sur les genoux. L'enfant s'avança et posa sa main minuscule sur son crâne.

Vince, de son côté, avait repris son stylo.

« Prépare-toi Adam, ça va bientôt être à nous... »

Sur le papier, deux tables d'opération occupaient une pièce saturée de matériel d'anesthésie. En quelques secondes, Vince avait esquissé tout le nécessaire pour leur sortie. Il arracha le croquis, le confia au Mandrake.

Adam n'en revenait pas.

L'homme pleurait toujours dans le cou de l'enfant.

Ce fut là dernière image que son cerveau enregistra, juste avant de plaquer le masque sur son visage et que les fluides hypnotiques le plongent dans l'inconscience.

Séquence finale

« La bombe humaine,
Tu la tiens dans ta main.
Tu as l'détonateur
Juste à côté du cœur
La bombe humaine,
C'est toi, elle t'appartient.
Si tu laisses quelqu'un
Prendre en main ton destin
C'est la fin, la fin. »

TÉLÉPHONE

Trois fois trois.

Neuf mètres carrés de souffrance muette.

Une boîte de béton tapissée de sueur, de cris, de quelques croûtes de sang séché aussi. Des fragments d'humanité qui s'acharnaient à résister aux détergents, aux désinfectants pour témoigner de ces histoires, de ces hommes qui avaient échoué là, avant le docteur Grüber.

Des traces. Quasi invisibles, insignifiantes mais dont le cri vous vrillait les tympans à chaque silence. Et du silence, il n'y avait que ça.

Le docteur Grüber, Hans, 42 ans, psychiatre, major de sa promotion, contemplait sans les voir les graffitis qui encombraient les murs.

Quelques mots jetés sur le gris de la cellule. Des paroles de désespoir, de révolte, de résignation parfois, des bouteilles lancées sur une mer figée qui n'atteindraient jamais personne.

La cellule avait digéré les pauvres hères enfermés là avant lui, tel un gigantesque monstre, une gelée ocre...

L'homme sourit intérieurement. Son esprit déstabilisé exhumait d'antiques souvenirs, des bribes de bons
moments, des bouées auxquelles il tentait de se raccrocher. Les gelées ocre, des aberrations mortelles estampillées
Donjons et Dragons, en faisaient partie, échappées de son
passé de rôliste.

La question était : pourquoi maintenant ?

Pourquoi ces instants, ces sensations ressortaient-ils au
cœur de cette prison où il venait d'être transféré après un
bref séjour à l'hôpital ?

Le psychisme était une chose décidément fascinante,
autonome, un *véritable* fantôme dans la machine.

Le médecin laissa son regard dériver au gré des angles
de la pièce.

Même le lit ressemblait à un cercueil, moulé d'un seul
tenant. Les fibres artificielles de son pyjama anti pendaison
irritait tout son épiderme comme ces cilices que portaient
les moines en signe de contrition.

« Qu'avez-vous fait de votre fille, docteur Grüber ? Où
est-elle ? »

Le visage mou de l'inspecteur Tovic était partout. Dans
son sommeil, sur les murs, au plafond, la cire molle de ses
bajoues, de ses lèvres affaissées ne cessait de le harceler.

« Qu'avez-vous fait de votre fille, docteur Grüber ? Où
est-elle ? »

Le psychiatre se posait les mêmes questions. D'un côté, il
était persuadé de n'avoir fait aucun mal à Melody. L'idée
même le révulsait. De l'autre, il y avait toutes ces preuves,
tous ces indices qui l'accusaient.

Son ADN partout, dans cette voiture qu'il avait vendue
bien avant le drame, dans cet appartement qu'il n'occupait
plus, dans cette maison où l'on avait retrouvé les traces

de Melody. Sans compter ces longs moments de solitude qui anéantissaient toute tentative d'alibi.

Heureusement, aucune image, aucun témoignage ne venait corroborer les faits.

Pourtant Grüber s'efforçait d'oublier qu'il était le père de Melody, il essayait d'analyser la situation de manière objective, en professionnel.

Il savait, d'expérience, que le cerveau humain pouvait jouer des tours extraordinaires à son propriétaire, que l'on pouvait, dans certaines circonstances, oublier ses propres faits et gestes. Mais chaque fois qu'il tentait d'explorer cette piste, sa piste, il était secoué de violentes nausées.

Il refusait d'envisager un seul instant la possibilité d'être un monstre, une sorte de docteur Jekyll. La seule alternative était que quelqu'un s'était donné beaucoup de mal pour concocter cette mise en scène élaborée.

Le médecin préférait de loin cette hypothèse même si cela supposait qu'il avait à faire à un adversaire d'une redoutable efficacité.

Il se concentra pour se remémorer cette journée maudite où Melody avait disparu. Mais sa mémoire refusait de fonctionner correctement, aussitôt submergée par des flots amers de mélancolie.

Plus il réfléchissait à tout cela, plus il avait l'impression de sombrer dans l'un de ces délires paranoïaques qu'il avait l'habitude de traiter chez ses patients.

L'esprit humain est ainsi fait : lorsque aucune explication ne le satisfait, il en invente une où les autres tentent de le manipuler.

Il convoqua les visages de tous ceux qu'il avait croisés ces dix dernières années. La tâche était immense.

Des hommes, des femmes, des adolescents, des enfants se mirent à défiler derrière les paupières de Grüber. Ils étaient tous là, soigneusement rangés dans des pochettes ivoire – un emprunt à sa réalité hospitalière – avec leur photo « Polaroid » épinglée en première page.

À chaque figure, une identité, un numéro de « dossier » – une suite de chiffres sans ordre chronologique, juste une suite de notes : sympathie, pronostic, émotion – des antécédents, un parcours de vie et une tentative de diagnostic.

Des centaines de vies fragmentées, déformées par la lorgnette étriquée des entretiens singuliers qui se succédaient dans son esprit.

Mais il ne trouvait rien.

Qui pouvait donc lui en vouloir à ce point ? Et puis pourquoi choisir parmi ses patients uniquement ? Même si c'était un grand classique pour un psychiatre : finir sous les balles d'un malade persuadé qu'on lui avait volé sa vie... Il y avait aussi les confrères jaloux, les gens croisés au supermarché, un couple de voisins aliénés par un délire conjugal. En définitive, cela pouvait être tout le monde. Selon les statistiques de la police, la probabilité la plus forte était qu'il s'agisse d'un membre de la famille, c'était même pour cette raison qu'il se retrouvait ici. Il représentait la probabilité la plus forte.

Merci les statistiques !

Il soupira, s'allongea sur le lit de béton. Croisant les mains derrière sa tête, il plongea son regard dans les aspérités du plafond.

L'énorme visage de l'inspecteur le toisait en souriant.

Se concentrer sur ma respiration...

Les couleurs quittèrent les joues de Tovic.

L'inspiration...

Les contours flasques de ses traits s'avachirent un peu plus.

L'expiration...

Le flic s'effaça. À la place apparurent des mots, apaisants.

« Nous aurons des lits pleins d'odeurs légères... »

Le médecin se calma, heureux de constater que le poète était encore vivant dans un recoin de sa mémoire, qu'il ne l'avait jamais quitté.

« Des divans profonds comme des tombeaux,
Et d'étranges fleurs sur des étagères,
Écloses pour nous sous des cieux plus beaux. »

Grüber ferma les paupières et se laissa envahir par les sonorités mélancoliques. Il pouvait presque entendre la voix de Melody lui récitant les vers comme elle le faisait parfois...

Son corps, ses muscles se détendirent. Son esprit était ailleurs, dans la chaleur de son Chesterfield, chez lui.

Il n'entendit pas les bottes cloutées du gardien, le fracas de la clef dans la serrure. Il ne réagit pas lorsque la porte s'écarta devant une paire de jambes fuselées, armées d'escarpins.

Son cerveau n'enregistra rien. Rien d'autre que cette phrase :

« Docteur Grüber, vous êtes libre... »

GÉNÉRIQUE

La série *Far-Away*

Far-Away est une série culte mise en production lors de la première décennie B2K. Diffusée tous les 15 jours sur la chaîne Cyber-Scifi, elle rencontre, dès les premiers épisodes, un succès sans précédent.

Son réalisateur et principal scénariste, John B. Owen, est un ancien grand reporter venu par hasard à la création. Sa forte personnalité, son immense charisme et son anticonformisme lui attirent, dès le début, de nombreuses inimitiés dans les circuits classiques. Mais il parvient à produire et diffuser sa série sur une petite chaîne de la Toile dont il fera la fortune.

Dans *Far-Away*, Owen reprend les recettes de *Star Trek* et *Cosmos 99* en y ajoutant une dimension épique jamais atteinte dans ce type de séries. Probablement inspiré par les intrigues de George R.R. Martin, Owen développe un univers fort et cohérent. Si l'action de *Far-Away* se déroule aux quatre coins d'une galaxie imaginaire, Owen ne joue pas sur la multiplicité des races et l'exotisme de la découverte de planètes lointaines, mais sur une psychologie fine des personnages et des intrigues politiques complexes.

Le public a rapidement plébiscité deux des personnages principaux, le capitaine James Girk, un Simien de la Galaxie Quatre-Point-Zéro, torturé par des aspirations contraires. En effet, Girk, héritier d'une grande famille royale, a très tôt choisi de s'éloigner de ses obligations princières et s'est enrôlé dans l'armée régulière des Forces unies, seules garantes de la paix. L'ironie du sort le fait combattre son propre frère lors de sa première mission en tant qu'officier. Une expérience qui le marque à jamais. Par ailleurs, Girk, sous des dehors de séducteur, souffre de ne pas avoir d'enfants.

Le second personnage préféré du public est le second du capitaine Girk, le sergent « Bloody » Schwark, vétéran des guerres purpurines. Cet humain – une rareté dans cet univers – est l'incarnation des notions de loyauté et d'honnêteté. Dans une interview accordée au *London Post*, Owen présente Schwark comme une sorte de paladin du futur... un paladin à la « sauce Owen » puisque le sergent affiche un penchant très prononcé pour la séduction et l'expérimentation de substances exotiques...

Ces deux personnalités ne doivent pas faire oublier les autres figures de la série telles que la Princesse Lana, Vénisienne enrôlée contre son gré au sein des Forces unies ou encore l'énigmatique Borkiss et ses pouvoirs extralucides...

Malgré son immense succès, la série est brutalement interrompue après la diffusion du célèbre épisode *Screaming Brains* dans lequel Girk s'empare du mythique vaisseau *Navigator*.

Personne ne connaît les véritables motivations de l'arrêt de la série et de nombreuses rumeurs courent sur la Toile. John B. Owen a disparu aussi soudainement que sa création et certains affirment que dans le plus grand secret, il prépare quelque chose d'encore plus grandiose.

CHRIS DEBIEN

Saison 01 // Épisode 04

SECRET STORIES

« What is the most resilient parasite ?
A bacteria ? A virus ? Any intestinal worm ?
An idea. »

COBB

« La véritable question n'est pas
celle que tu poses mais celle de savoir
si tu es prêt à entendre la réponse. »

**DOCTEUR SARAH MAC LAINE,
NOTES**

« Ich habe Pläne, große Pläne ?
Ich baue dir ein Haus ?
Jeder Stein ist eine Träne ?
Und du ziehst nie wieder aus ?
Ja, ich baue ein Häuschen dir ?
Hat keine Fenster keine Tür ?
Innen wird es dunkel sein ?
Dringt überhaupt kein Licht hinein
Ja ich schaffe dir ein Heim ?
Und du sollst Teil des Ganzen sein
Stein um Stein ?
Mauer ich dich ein ?
Stein um Stein ?
Ich werde immer bei dir sein. »

RAMMSTEIN

UNDER
FACES

MORE
AND
MORE

RE·CONNECTED

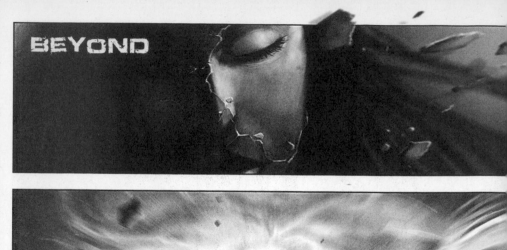

BEYOND

● REC

Séquence 01 **SWEET DREAMS**

« Some of them want to use you
Some of them want to get used by you
Some of them want to abuse you
Some of them want to be abused. »

MARILYN MANSON

Adam ne se réveillait pas.

Il attendait.

Il n'était plus dans l'Inside, *a priori.*

Il se souvenait parfaitement de l'instant où il avait plaqué le masque d'anesthésie sur son visage, le moment où le gaz barbapapa avait sucré sa bouche. D'instinct, il avait fermé les yeux, espérant la brève inconscience qui précédait d'ordinaire le réveil en salle d'immersion, le retour au Centre.

Mais il ne s'était rien passé, cette fois-ci. Et lorsqu'il avait ouvert les paupières, il flottait au-dessus de son corps. Comme si sa conscience s'était détachée de sa chair pour rester coincée entre deux réalités. Ni vraiment à l'extérieur, plus tout à fait à l'intérieur. Une sensation inédite, impossible...

Un bug, sans doute, avait-il pensé. *À moins que Rachel ne se soit trompée, qu'elle ne parvienne pas à me ramener...*

Il se figura la panique de la jeune femme, ses tentatives désespérées pour le faire sortir du programme. Mais curieusement, lui demeurait calme, serein. Un spectateur prisonnier d'un mauvais rêve, une marionnette abandonnée aux caprices de l'alchimie informatique.

Adam regardait Adam, cet autre lui étendu sur le « Divan ».

Il observait le trou béant de son crâne, décalotté telle l'une de ces boîtes de conserve que l'on ne trouvait plus que dans les œuvres d'art.

Il ne ressentait aucune peur, aucune douleur.

Pas même du dégoût.

Il contemplait son propre cerveau mis à nu avec détachement, comme s'il s'agissait de celui de quelqu'un d'autre. Et pourtant, il *savait* que ce corps allongé sur le Divan était bien le sien. Ce ne pouvait être qu'un rêve, une réaction de ses neurones malmenés par la dernière immersion dans l'Inside.

Adam en était sûr.

Et pourtant, tout ce qu'il voyait, tout ce qu'il ressentait était *réel*.

Puis il plongea à l'intérieur de son cerveau.

L'étrange matière s'écarta pour le laisser passer avant de l'engloutir dans un cocon tiède. Autour de lui, baignant dans une lumière rose, des silhouettes massives s'agitaient en un ballet désordonné, se faufilant entre les tentacules blanchâtres des réseaux neuronaux.

Il était *à l'intérieur* de lui-même. Physiquement.

L'adolescent se concentra sur la curieuse chorégraphie à laquelle il assistait.

Des monstres ? Non, des robots.

Frustes, les « machines » moléculaires se liaient quelques fractions de seconde aux cellules sophistiquées de son système nerveux puis s'en détachaient pour s'unir entre elles.

Les nanobots !

Le docteur Mac Laine avait montré à l'adolescent un cliché de ces petites merveilles prises dans le faisceau d'un microscope électronique. Mais c'était la première fois qu'il pouvait les voir à l'œuvre.

Peu importait, à cet instant, que tout ceci soit impossible. Il était fasciné par les unions éphémères. Des milliards d'informations échangées en temps réel entre son cerveau et les assemblages artificiels qu'on lui avait implantés. Il pouvait presque voir les flux qui circulaient de neurones en nanobots et réciproquement.

Adam avait appris que les « machines » envoyaient leurs instructions – via une connexion extra-filaire – aux gigantesques terminaux mis au point par Max. Aussitôt, le programme Reset absorbait les gigaoctets et envoyait en retour de nouvelles instructions pour que l'Inside réagisse, pour que le monde virtuel se modèle sur son psychisme.

Le phénomène s'accéléra.

Les bots se déplaçaient si rapidement qu'Adam ne parvenait plus à suivre leurs mouvements, qu'ils paraissaient flous. Les neurones se mirent à gonfler, énormes monstres gorgés de données. L'adolescent était à l'étroit, comprimé par ses propres cellules, bousculé par les « machines ».

Prisonnier à l'intérieur de lui-même, il commença à suffoquer.

Je vais mourir ! pensa-t-il.

Une lumière aveuglante, d'une blancheur parfaite inonda la scène, délavant le rose organique.

« Adam... »

Sur l'écran de ses rétines douloureuses, un visage se dessina en filigrane. Une jeune femme, les traits noyés de longs cheveux noirs.

La Yuki-Onna...

La température chuta de quelques degrés.

« Viens, Adam, suis-moi... Pénètre avec moi au creux de cette symphonie que j'ai composée pour toi... *Penses-y autrement...* »

Elle ouvrit les bras, baissa la tête, écartant les parois qui étouffaient Adam.

Silence.

Trois, deux, un.

Boum. Boum.

Deux explosions, coup sur coup, aussitôt suivies par la course d'une main sur le manche d'une guitare électrique.

Silence.

Et la basse, hypnotique, s'empara des particules d'air pour les entraîner en une danse effrénée. Une autre guitare serpenta quelques mesures avant de réveiller les percussions.

Boum.

Vint la voix du chanteur. Un souffle d'outre-tombe, une mélodie scandée du fond du larynx. Les sonorités, toujours plus lourdes, tailladaient les riffs aériens, écorchaient les aigus jusqu'à s'unir avec le fracas de la batterie, jusqu'à transfigurer la musique en une chimère sombre.

Boum.

Les chœurs à présent, telle une hydre polyphonique, entrèrent en scène, reléguant les ondes les plus larges en arrière-plan, chassant les nanobots à grands coups de hache mélomane.

Et la lumière s'amplifiait, encore et encore.

Le rythme s'accéléra tandis que s'ouvrait le ventre de la Yuki-Onna et que s'y formait un étrange cyclone, une tornade de lueurs et de sons qui menaçait d'aspirer Adam.

La jeune femme était en transe. Des fissures apparurent sur son corps, des lézardes semblables à des plaies de lumière. Et soudain, elle explosa dans un râle du chanteur.

Adam n'eut pas le temps de penser que déjà il disparaissait dans l'abîme.

Ses yeux s'écarquillèrent d'horreur.

Il ne voyait plus rien. Ni forme ni couleur, juste l'obscurité absolue, terrifiante.

Aveugle !

Il se redressa d'un bond mais une violente douleur au niveau du cuir chevelu le retint en arrière et il retomba lourdement sur le plastocuir du Divan.

« Adam ! »

Rachel, sans aucun doute. Toute proche. Juste au-dessus de lui.

Il voulait lui répondre mais aucun son ne sortait de sa bouche.

« Qu'est-ce qui se passe ? » insistait la jeune fille.

Adam ne l'écoutait pas.

Il tentait de comprendre pourquoi son corps refusait d'obéir aux ordres.

Un rêve ? Pas tout à fait.

Ça ressemblait plutôt à la *narcose,* un phénomène rare qui se produisait après une plongée trop intense, un retour trop rapide. Ce qui signifiait qu'il était de nouveau au Centre : Vince avait réussi.

« Adam, merde, réveille-toi ! »

Rachel le secouait à présent.

« Réveille-toi ! »

Et comme s'il obéissait soudain à l'injonction, son esprit le libéra. Il était dans la salle d'immersion numéro trois.

« Tu vas bien ? » répétait la jeune femme en ôtant les filaments du casque.

Devant lui, un tas de moniteurs affichaient en courbes affolées la peur qui avait envahi Adam. Toutes les alarmes hurlaient malgré l'empressement de Rachel.

« Où... où est Vince ? » articula-t-il.

En guise de réponse, la jeune femme se figea pour le regarder avec intensité. Elle s'approcha, essuya d'un revers de main ses larmes.

« Je... » commença Adam.

Rachel se pencha vers lui.

« J'ai eu si peur... » souffla-t-elle à quelques centimètres de son visage.

Puis elle posa ses lèvres sur les siennes.

Il sursauta. Mais Rachel insista, insinuant sa langue entre ses dents.

Adam était tétanisé. Il aurait voulu la prendre dans ses bras, l'embrasser, la... À dire vrai, il ne savait pas vraiment ce qu'il voulait faire, ce qu'il *convenait de* faire. Il ne fallait pas la décevoir, surtout.

La porte de la pièce s'ouvrit à toute volée, dévoilant la silhouette décharnée de Vince.

Sauvé par le gong !

Rachel recula, les joues cramoisies. Une poignée de secondes plus tard, la tignasse emmêlée de Max les rejoignit.

« Comment ça se passe ici ? lança-t-il.

— Pas... pas très bien, répondit la jeune femme. Adam n'arrivait pas à se réveiller. »

L'ingénieur s'approcha des écrans de contrôle, effleura quelques boutons pour interroger les bases de données.

« Rassure-toi, tout va bien. C'est juste que tu ne pouvais pas compenser la rapidité de la sortie mais tu t'es débrouillée comme un chef ! »

Adam s'assit sur le bord du Divan. Il était encore sous le choc de son réveil et du baiser de Rachel.

« Qu'est-ce qui s'est passé ? » demanda-t-il.

Vince lui tendit un dessin. Une esquisse griffée en quelques gestes. Sur la feuille blanche, Johnson le scrutait d'un regard malsain.

« On dirait bien que cet enregistrement était un piège... reprit Max. Johnson a réussi à modifier Reset, à y implanter des routines destinées à pousser ton cerveau dans ses derniers retranchements.

— Comment ?

— Sincèrement, je l'ignore... C'est comme s'il avait eu accès à la structure intime du logiciel, qu'il l'avait reprogrammé pour te forcer à matérialiser tes peurs...

— Vous voulez dire que c'est moi qui aie créé tout ça ?

— En partie... »

Adam passa en revue les événements qu'il avait vécus lors de sa plongée. La présence de Hyde et Jekyll confirmait les dires de l'informaticien.

« N'oublie pas que l'Inside a été conçu pour réagir à ton psychisme autant qu'à celui qui plonge avec toi... L'enregistrement était contaminé par la haine de Johnson, tes angoisses ont fait le reste... »

Penses-y autrement.

La phrase de la Yuki-Onna venait de s'imposer à son esprit.

Qu'avait-elle voulu dire ? Toutes les recherches qu'ils avaient menées n'avaient rien donné.

Y penser autrement. Symphony X. Symphonie anonyme ?

Adam songea qu'il faudrait soumettre cette nouvelle donnée aux Insoumis dès que Max les laisserait seuls.

« Tu te sens mieux à présent ?

— Oui, je crois que ça va aller.

« — Alors, il va falloir rejoindre vos chambres... Le docteur Grüber doit déjà être parti mais on ne sait jamais...
— Grüber est parti ? » s'étonna Rachel.

Max baissa la tête pour éviter son regard.

« Oui... Enfin, je pense que le docteur Mac Laine vous en dira plus demain... Mais le directeur a dû quitter le Centre précipitamment...

— Pourquoi ?

— Je... Il nous a simplement dit qu'il devait se rendre à une réunion du conseil d'administration... Que le Centre avait des difficultés... »

Adam et Rachel échangèrent un regard d'incompréhension.

« Quoi qu'il en soit, vous devez garder tout cela pour vous et faire comme s'il ne s'était rien passé... »

Séquence 02 **INTRUSION**

« My thoughts create a dream,
Like a movie on a screen,
And all the pictures return again and again,
Oh I wish I could forget,
All the pictures that I've met,
I'm faltering again through my livin' brain,
Resurgence of unwanted thoughts,
Promoting my negative mood. »

ENOLA GAY

« Tu viens ? »

Adam tourna la tête, surpris. Il n'avait pas entendu Rachel se faufiler jusqu'à sa chambre. Il avait passé la journée à dormir, à récupérer de sa dernière plongée.

Il se releva sur un coude.

« On va où ? » demanda-t-il dans un demi-sourire.

La jeune femme lui jeta un regard amusé.

« Eh bien, on dirait que ta virée dans l'Inside t'a drôlement secoué... Tu as déjà oublié que le docteur Mac Laine avait convoqué tout le monde ce soir ? » ajouta-t-elle en s'avançant vers lui.

L'adolescent s'assit sur le bord de son lit, s'efforçant de rassembler ses esprits. Lorsqu'il leva le visage, Rachel n'était qu'à quelques centimètres. Il eut à peine le temps de prier pour son haleine soit acceptable, qu'elle l'embrassait.

On va être en retard... pensa-t-il en frissonnant.

Quelques minutes plus tard, ils rejoignirent la salle de réunion. Debout sur une estrade, le docteur Mac Laine attendit que l'assemblée fasse silence.

Adam l'observait : elle ne se comportait pas comme d'habitude.

Ce n'étaient que des détails, d'infimes modifications que le médecin s'efforçait de dissimuler. Mais l'adolescent n'était pas dupe.

Il avait décrypté ces changements subtils, ces « un peu trop » qui la trahissaient. Les cheveux « un peu trop » tirés en arrière, le dos « un peu trop » raide, le visage « un peu trop » lisse, autant d'indices symptomatiques d'une nervosité inhabituelle.

L'adolescent connaissait sa thérapeute par cœur, il savait détecter la moindre ride sur son front, interpréter ces cernes qui soulignaient son regard, parfois.

Grâce aux quelques centaines d'entretiens singuliers qu'ils avaient partagés, il avait appris à déchiffrer ces milliers de petits gestes involontaires, révélateurs sans fard de l'état d'esprit.

Adam se rappelait de leurs premières rencontres, lorsqu'il se retranchait derrière les murailles de son « diagnostic » pour mieux repousser les tentatives du médecin de l'approcher.

Il y avait consacré une énergie considérable, refusant de croire qu'il n'était qu'une marionnette aux mains de la maladie. Chaque fois, il contemplait les efforts désespérés que déployait la psychiatre pour l'atteindre. Il la laissait penser qu'elle parvenait à le convaincre, à l'apprivoiser et promettait qu'il allait l'écouter, qu'il avalerait ces satanées pilules. Invariablement, les médicaments finissaient leur courte existence au fond de la cuvette des toilettes. Invariablement, il succombait à une nouvelle crise.

Les voix étaient devenues de plus en plus précises, et l'état d'Adam était si préoccupant qu'il avait failli rejoindre l'iso sans même en avoir conscience.

Alors, la thérapeute était venue le voir, dans sa chambre, un soir. Elle n'avait rien dit, s'était assise au pied de son lit. L'adolescent avait soutenu son regard, ultime provocation. Il n'était plus vraiment lui-même. Sarah Mac Laine avait posé deux gélules sur sa table de nuit, puis s'était levée.

« Tu as le choix, Adam. Mais j'ai bien peur que ce soit la dernière fois. La seule chose que tu dois te demander, c'est : qu'est-ce que je risque ? », avait-elle lâché avant de se diriger vers la porte.

Il s'était contenté de hausser les épaules et de répéter mot pour mot ce que Jekyll lui soufflait au creux du cerveau.

« Vous pensez sincèrement que je vais me laisser avoir par votre blabla ?

— Non, je ne crois pas.

— Vous êtes juste venue faire votre B.A. pour justifier votre salaire. »

Le médecin s'était lentement retournée. Elle avait relevé ses lunettes sur son front, massé ses yeux, puis avait repris dans un soupir :

« En fait, je ne sais pas très bien pourquoi je suis là. Je pensais juste que tu comprendrais que je suis venu te rendre quelque chose que la maladie t'a enlevé.

— Je ne suis pas malade ! »

Mac Laine avait soupiré de nouveau avant de lâcher une dernière salve.

« Tu as sans doute raison. Tout le monde entend des voix et le Centre est un parc d'attractions construit pour enrichir les psychiatres. »

Jekyll n'avait pas répondu, surpris par la repartie glaciale du médecin. Il ne s'attendait pas à cela. Les docteurs n'avaient pas le droit de parler ainsi à leurs patients.

Du coup, Adam avait repris le contrôle un instant.

« C'est quoi ce que vous êtes venue m'offrir ? Ce truc que la... enfin, c'est quoi ?

— La liberté, juste la possibilité de penser par toi-même. »

À partir de ce moment, l'adolescent avait *pris la décision* de tenter l'expérience... Après tout quel était le risque ?

Il avait accepté le programme de soins. Les médicaments, l'hypnose et Reset.

Tout.

« ... c'est pourquoi le docteur Grüber a dû s'absenter... »

L'évocation du directeur tira Adam de ses pensées. Il se concentra de nouveau sur le discours de la psychiatre, ici et maintenant.

Elle se tenait droite, la main gauche appuyée contre sa hanche, debout dans la salle commune. Sa voix tremblait.

En fait, pas tout à fait, corrigea Adam.

C'étaient les voyelles, ses A qui s'allongeaient, d'un quart de millième de seconde. Comme si elle tentait de reprendre son souffle avant de précipiter la suite de son exposé, comme si elle avait peur de prononcer les mots qui sortaient de sa bouche.

Adam était persuadé que seul lui avait remarqué l'émotion particulière de sa thérapeute. Mais Vince le poussa du coude et lui tendit un croquis.

Sur la feuille, tatouée en quelques traits rectilignes, le docteur Mac Laine était en train de prêter serment devant le Conseil galactique, engoncée dans l'uniforme des officiers de *Far-Away*. Adam sourit. Vince avait parfaitement saisi l'importance qu'elle donnait à ce moment. Et pourtant, rien n'en transparaissait dans son discours.

Elle expliquait d'une voix posée qu'elle allait remplacer le docteur Grüber durant quelques jours, que rien ne changerait, blablabla...

Adam décrocha une nouvelle fois pour s'attarder sur les autres résidents.

Les plus jeunes s'étaient assis en tailleur et buvaient des yeux Sarah Mac Laine tandis que les adolescents étaient plus en retrait, tel Jason, appuyé contre un mur.

Lorsque leurs regards se croisèrent, ce dernier passa le pouce à la base de son cou, lentement.

« Laisse tomber, c'est de la provoc... » déclara le Comique.

Provoc ou pas, Jason était sur son dos et il n'avait pas l'habitude de lâcher ses proies facilement. Adam tenta de raccrocher.

« ... cette période est transitoire... lorsque le directeur reviendra... j'assumerai les responsabilités... »

Il ne saisissait que des bribes de phrases, ne parvenait pas à se concentrer, comme si tout cela n'avait pas d'importance.

Adam produisit un effort considérable, juste au moment où la psychiatre annonçait l'arrivée d'un nouveau docteur.

Blond, raide comme la justice, il se tenait dans l'ombre. À la boutonnière de son complet impeccable brillait un badge doré. Un aigle enserrant deux éclairs.

Sarah Mac Laine le fit avancer.

« Je vous présente le docteur Wertz, Luc Wertz. Il va m'assister dans les consultations et les activités de soins. »

L'homme était jeune, sportif, plutôt séduisant. Mais son sourire condescendant et son regard figé faisaient froid dans le dos.

Adam était certain que sa présence était responsable de l'état de sa thérapeute.

Mais ce n'était pas tout. Un souvenir titillait l'adolescent.

« Monsieur le directeur,

Les événements récents survenus au sein de notre établissement me poussent à vous présenter ma démission. »

Le mail.

En toute logique, le docteur Mac Laine ne devait plus être là. Elle avait clairement fait savoir à Grüber qu'elle quittait le Centre.

Que s'était-il donc passé ?

« Le docteur Wertz sera chargé du suivi de la majorité d'entre vous. Ceux qui sont engagés dans le programme Reset demeurent sous ma responsabilité... »

Ouf, pensa Adam.

Le docteur Mac Laine restait sa thérapeute. Rachel aussi semblait soulagée. Il n'y avait guère que le nouveau médecin qui s'était rembruni, comme s'il n'était pas satisfait de l'annonce.

« À présent, les enfants, vous allez pouvoir regagner vos chambres. Il est déjà tard. »

Les pensionnaires se tournèrent vers les infirmières chargées de les raccompagner, puis ils quittèrent la pièce par petits groupes. Les Insoumis, quant à eux, se réunirent autour de Rachel avant de suivre les autres. C'était le seul moyen pour ne pas se retrouver à la merci de Jason.

« Vous pensez quoi de tout ça ? demanda Adam.

— Rien de bon, souffla Rachel en lui faisant signe de parler plus bas. Et ce Wertz ne m'inspire aucune confiance. »

Vince tendit son carnet.

Il avait affublé le nouveau médecin d'un uniforme militaire barré d'une énorme seringue.

« Oui, c'est exactement l'effet qu'il m'a fait ! »

La salle s'était vidée et il ne restait plus qu'une poignée de soignants échangeant quelques commentaires à voix basse.

« Adam, Rachel et Vince, vous voulez bien attendre un instant, s'il vous plaît. »

Les trois adolescents se figèrent.

« Suivez-moi dans mon bureau... »

Wertz interrogea du regard le docteur Mac Laine.

« Vous pouvez rejoindre les autres et vous familiariser avec le Centre, je dois régler quelques détails de leur programme thérapeutique.

— Vous êtes sûre de ne pas avoir besoin de moi ?

— Certaine ! »

Les deux médecins restèrent quelques secondes les yeux dans les yeux, s'affrontant en silence.

« Après tout, c'est vous qui commandez, lança le jeune médecin d'un ton dédaigneux. Mais il serait regrettable que je ne bénéficie pas de toutes vos... de tout votre enseignement...

— Ce n'est qu'une formalité, je vous assure.

— Alors, bonne nuit.

— Bonne nuit. »

Le docteur Mac Laine se retourna d'un mouvement sec.

« On y va. »

Les adolescents la suivirent en silence. Adam remarqua qu'elle s'efforçait de se maintenir très droite mais dès qu'ils passèrent le coin du couloir, que personne ne pouvait plus les apercevoir, ses épaules s'affaissèrent discrètement.

Ils pénétrèrent dans le bureau dépouillé du médecin. Au mur, une dizaine de minuscules tableaux, griffés des initiales d'une artiste inconnue. Des visages, naïfs, exprimant l'étendue des sentiments humains : la colère, la joie, la peur...

« Asseyez-vous, leur dit-elle en désignant les fauteuils en plasticolor rouge. Je vais aller à l'essentiel car j'ignore de combien de temps nous disposons. Max m'a contactée, il m'a tout expliqué... Vous savez donc que je souhaitais démissionner et si je suis revenue au Centre, c'est pour vous. Il se trame visiblement des choses plus graves que je ne le pensais. L'arrivée du docteur Wertz au moment où le docteur Grüber est absent n'est pas un hasard... »

Adam ne comprenait absolument rien et des dizaines de questions lui brûlaient les lèvres.

« Je n'ai pas le temps de vous en dire plus mais je pense que le docteur Grüber nous dissimule la vérité... Et que l'un d'entre vous pourrait nous aider à comprendre ce qui se passe. »

Elle marqua une courte pause, planta son regard dans celui d'Adam.

« Adam, es-tu prêt à retourner dans l'Inside ? »

Séquence 03   LUEUR CHROME

« Petite poupée brisée entre les mains salaces
De l'ordure ordinaire putride et dégueulasse
Kill the kid
Tu n'es plus que l'otage la prochaine victime
Sur l'autel écœurant de l'horreur anonyme
Kill the kid, kill the kid. »

HUBERT FÉLIX THIÉFAINE

L'effluve d'eau de Cologne s'accordait mal avec l'odeur de chair lavée, aussi mal à vrai dire que la cravate moutarde de Tovic avec son complet bleu. Mais le flic ne semblait pas s'en formaliser. Ni son parfum ni ses vêtements ne faisaient partie de ses préoccupations.

« Après vous, docteur... »

Le policier s'effaça en retenant la lourde porte de la salle d'autopsie.

Le médecin hésita puis avança sur les carreaux blancs qui recouvraient le sol.

C'était toujours le premier pas qui coûtait le plus.

Ses yeux acier accrochèrent le verre fêlé d'un vieux thermomètre à mercure hors d'usage, le plexiglas jauni d'un négatoscope fatigué et l'angle rayé d'une imposante armoire réfrigérée.

Partout régnait la faïence, immaculée. On se serait cru au cœur de ces toutes nouvelles stations de métro automatisées qui minaient les sous-sols de la ville. Les tubes lumineux du plafond diffusaient une lueur chrome semblable à un linceul mortuaire.

Chaque détail réveillait de lointains souvenirs chez le médecin.

La terreur de ces premières confrontations avec la mort lors des séances de dissection, alors qu'il avait à peine dix-huit ans. Lorsqu'il avait découvert ces cadavres que l'on confiait aux scalpels maladroits des étudiants.

Des hommes, des femmes, des histoires, des vies réduites à de simples enveloppes gorgées de formol. Une expérience qui l'avait profondément transformé et convaincu de s'orienter vers la psychiatrie.

Hans Grüber abandonna ses pensées pour scruter la pièce.

Il s'arrêta sur les paillasses carrelées qui en occupaient le fond. Il nota les microscopiques gouttes de sang, la crasse incrustée entre les joints rendus poreux par les détergents.

Un goût de fer envahit sa bouche tandis qu'un filet acide remontait de son estomac.

Le psychiatre enregistrait tout et la scène se gravait dans sa mémoire avec une acuité extraordinaire. Jamais plus elle ne le quitterait, ni le jour ni la nuit.

Il se dirigea vers l'homme en blouse blanche qui les attendait, regard vitreux et bras croisés, posté devant les casiers réfrigérés de la morgue.

« Messieurs ? » se contenta de lâcher l'appariteur avec lenteur.

Il leva le bras droit pour gratter le sommet de son crâne.

Grüber remarqua aussitôt que l'homme perdait ses cheveux par plaques.

L'inspecteur extirpa sa vieille carte professionnelle barrée de bleu-blanc-rouge.

« Tovic, de la Crim'. Et voici monsieur Hans Grüber, nous venons pour l'identification...

— Je vois. C'est pour la petite ? Je vais chercher un chariot. »

L'appariteur s'éclipsa, abandonnant derrière lui quelques relents de sueur et de bière mal digérée.

Tovic se pencha à l'oreille du psychiatre.

« Vous pensez que ça ira, docteur ? Je vous préviens, le légiste a dit...

— Est-ce que j'ai vraiment le choix ? » le coupa froidement Grüber.

Le policier baissa la tête, mal à l'aise. Après tout, c'était lui qui avait accusé le médecin, lui qui l'avait conduit en cellule et qui avait été contraint d'aller le chercher à la sortie de la prison.

Le procureur en personne avait insisté lorsque l'on avait retrouvé le cadavre de la jeune fille aux côtés de sa tortionnaire dans les ruines d'une maison calcinée.

« N... non.

— Alors, finissons-en. »

Le psychiatre ne parvenait plus à dissimuler le mépris qu'il ressentait pour cet homme qui respirait la médiocrité, boudiné dans ses costumes reprisés. Et puis cette haine lui faisait du bien, elle l'empêchait de penser à Melody, de prêter attention à ces clichés défilant sans cesse dans sa tête depuis qu'il avait quitté sa cellule.

Il passait de longues heures assis en tailleur sur le lit de sa fille, contemplant l'album photo de sa mémoire.

Les sourires. Celui d'Anne, sa femme, lorsqu'ils s'étaient rencontrés. Puis sa bouche arrondie en un soupir de jouissance lorsqu'ils avaient conçu Melody. Les veines bleutées sur son front le jour de l'accouchement et les premiers cris. Quelques gâteaux d'anniversaire aussi, des déguisements de princesse et de Gaïa, la conquérante de l'espace.

Jusqu'au piercing.

Jusqu'à ce bruit irritant de roues mal graissées du chariot chromé poussé par l'appariteur.

« Vous êtes prêt ? » demanda ce dernier.

Le médecin ne répondit pas, absorbé par l'inox des casiers réfrigérés. L'homme interpréta son silence comme un accord.

Il pesa sur la poignée. Dans un nuage de froid artificiel, il fit glisser le tiroir alu qu'il recouvrit aussitôt d'un drap jaune.

Grüber n'avait eu le temps que d'apercevoir des fragments de peau noircie par le feu. Tovic s'avança mais l'appariteur le stoppa d'un geste.

« Non, pas vous.

— Mais je suis chargé de l'enquête.

— Les ordres... » répondit l'homme, en haussant les épaules.

Le flic recula, vaincu par l'extraordinaire impression d'immuabilité qui émanait de la blouse blanche.

Un roc impossible à corrompre.

« Et les affaires personnelles ? »

L'homme grimaça un vague rictus en exhibant un sac plastique réglementaire. Il ne restait pas grand-chose, mais Hans Grüber reconnut immédiatement le bracelet qu'il avait offert à sa fille pour son treizième anniversaire.

Pour la première fois depuis qu'il avait pénétré dans l'institut de médecine légale, un gouffre s'ouvrit au creux de son estomac, un abîme qui engloutissait ses souvenirs. Un énorme broyeur où les images échappées de sa mémoire étaient réduites en longues bandes colorées dans un fracas électromécanique.

Melody.

Il songea à ces heures passées à l'hôpital, à ces journées entières consacrées à ses patients, à ses recherches, à tous ces moments loin de sa fille. Il réalisa qu'il ne la connaissait pas.

Depuis ses douze ans, il s'était contenté de la côtoyer, de veiller sur ses résultats scolaires. Mais il ignorait tout de ses goûts, de ses amis, de ses amours.

Quelle sorte de monstre était-il devenu ?

« Monsieur ? interrogea l'appariteur, une main sur le drap, prêt à le tirer.

— Vous pouvez y aller. »

Dès que Tovic eut quitté la pièce, il releva le tissu, révélant l'épiderme carbonisé d'un cadavre anonyme.

Hans Grüber ouvrit la bouche, sidéré.

« Ne dites rien. Ne bougez pas, faites semblant. »

Le médecin ne comprenait pas. Il s'était préparé à voir Melody, étendue là sur ce tiroir couleur chrome. À ressasser une dernière fois tous ses regrets, à lui demander pardon.

En lieu et place de sa fille, il contemplait un amas horrible de chairs carbonisées dont seule une partie du visage était indemne.

Et ce n'était pas celui de Melody.

« À présent, vous allez quitter la pièce, bouleversé. Vous irez voir Tovic pour lui dire que vous avez identifié formellement votre fille... Nous vous recontacterons dans quelques jours. »

Séquence 04 RACHEL

« Now she's safe from the darkness
She's safe from its clutch
Now nothing can harm her
At least not very much
What will you dream of tonight Lady Rachel ?
What will you dream of tonight ?
Who will you dream of tonight Lady Rachel ?
Who will you dream of tonight ? »

KEVIN AYERS

Du bout des doigts, Rachel parcourait les entrelacs complexes qui boursouflaient ses avant-bras. Des centaines de traînées nacrées, témoins muets de ses angoisses les plus anciennes, les plus profondes.

À intervalles réguliers, d'autres cicatrices portaient encore le rose de ses débordements récents. Et partout, grêlant les sillons de trous minuscules, les marques des points de suture.

Avec le temps, la peau s'était rebellée, se bombant, de-ci de-là, de nodules disgracieux. Impossible de caresser ce champ de bataille sans qu'un frisson de dégoût n'électrise sa colonne vertébrale.

Qu'allait dire Adam ? Qu'allait-il ressentir lorsqu'il découvrirait l'ampleur des dégâts ? Lorsqu'il poserait ses mains sur elle ?

Rachel souleva un instant la tente de ses draps pour enlever son T-shirt de nuit. Puis elle replongea aussitôt à l'abri du coton, assise en tailleur.

C'était le seul endroit où elle se sentait à l'abri, comme lorsqu'elle était enfant, que son *vrai* père entrait dans sa chambre pour lui raconter une histoire. Il se glissait à ses côtés, la rejoignait dans la cabane improvisée et ils inventaient d'invraisemblables récits. Chaque fois, il fallait que sa mère intervienne, qu'elle mette fin à leurs conciliabules qui menaçaient de durer toute la nuit.

Et puis, il avait disparu. Comme ça, sans rien dire, du jour au lendemain. Rachel venait de fêter ses dix ans. Elle n'avait jamais compris, elle avait toujours cru que c'était de sa faute. D'ailleurs, rien que d'y penser, ses ongles s'enfonçaient au creux de ses paumes.

Rachel voulut s'arrêter mais le flot de ses souvenirs la submergea.

Bob était arrivé à la maison. Des années plus tard.

Il était entré dans le lit de sa mère, dans un premier temps. Puis il avait essayé de pénétrer dans le sien, le soir de ses quatorze ans. L'adolescente n'avait rien fait, rien dit, l'esprit sidéré.

Le lendemain matin, elle était descendue dans la cuisine avec son sac à dos. À l'intérieur, quelques vêtements, une lampe de poche, les poèmes écrits par Alisson – sa meilleure amie – et de quoi survivre pendant deux ou trois jours. Bob avait tenté de l'arrêter mais elle s'était débattue avec une violence inouïe.

Quelques heures plus tard, elle intégrait l'aile sécurisée du Centre pour adolescents perturbés, l'une des antichambres de l'Enfer. Personne n'avait compris son geste, elle avait gardé les explications pour elle. Tout au fond de cette chair qu'elle mutilait.

Personne, pas même sa mère, n'était jamais venue lui rendre visite.

La douleur tira Rachel de ses pensées.

Elle baissa les yeux.

Merde !

À force de gratter, elle venait de rouvrir l'une de ses plaies. Elle porta son bras à la bouche et aspira le mince filet de sang.

Pourquoi s'était-elle mise à repenser à tout ça ?

Adam...

Les baisers qu'elle avait échangés avec lui continuaient à la perturber.

Elle contempla son corps nu. Car, pour la première fois de sa vie, son corps était un cadeau qu'elle voulait offrir...

« C'est ça être amoureuse ? » s'exclama-t-elle avant de s'allonger en position fœtale, tout au fond de son lit.

Sans le moindre pleur, sans la moindre angoisse.

Rachel avait dormi d'un sommeil sans rêve ni cauchemar, comme lorsqu'elle était enfant. À son réveil, elle avait presque oublié le Centre, les cicatrices, les mauvais souvenirs. Elle ne pensait qu'à une chose.

Adam.

Sur la tablette de la salle de bains, le masca-spray paraissait bien isolé. Pas de crème, pas de fard, Rachel ne s'était jamais maquillée. Mais aujourd'hui, elle voulait faire ressortir ses yeux. Aujourd'hui, elle voulait plaire, *lui* plaire. Elle avait troqué le précieux objet avec Joan, une infirmière de la zone de soins, contre le numéro de portable de l'un des agents de sécurité. Ses excursions dans les faux plafonds lui permettaient d'être au courant des petits secrets du personnel et elle n'hésitait pas à monnayer ses informations.

Joan lui avait expliqué comment s'en servir mais Rachel regardait le vaporisateur avec méfiance.

Qu'allait dire Adam ?

La jeune femme soupira.

Jamais, elle ne s'était souciée de l'avis des autres. Elle brandissait son indépendance comme une armure. Et voilà que de simples baisers avaient suffi à lui faire baisser son bouclier.

Elle prit peur. Aimer était un risque considérable, elle s'exposait à la trahison, à la douleur. Aimer, c'était comme plonger dans le vide au bout d'une corde minuscule. À chaque instant, on se demande quand elle va se rompre.

Rachel se saisit du flacon, ôta le capuchon de plastique et l'éleva à hauteur de son visage. Elle pressa la tête du spray. Un nuage léger s'échappa dans un chuintement. Dans le miroir, elle observa les particules sombres se déposer au creux de ses paupières, modifier ses traits. Ce maquillage était une véritable merveille.

Elle recula d'un pas pour jauger le résultat.

Sa bouche s'étira en un large sourire. Elle se trouva belle et elle aimait ça.

Lorsqu'elle pénétra dans la pièce, les Insoumis n'en revinrent pas. Même Alex se détourna de ses équations insolubles – un exercice qu'il affectionnait tout particulièrement – pour contempler Rachel.

La jeune femme était entrée dans la pièce où ils se réunissaient d'ordinaire sans dire un mot. À la place de ses T-shirts sans forme, elle portait un chemisier blanc, tout simple, sur son éternelle paire de jeans. Sa démarche avait également changé. Plus féminine, plus assurée.

« Ben quoi ? lâcha-t-elle devant les mines ahuries des trois garçons. Il y a quelque chose qui vous dérange ? »

Elle se tenait devant eux, les mains sur les hanches, la mine contrariée.

Adam fut le premier à la rassurer.

« Tu es... magnifique ! » déclara-t-il en s'extirpant du canapé rouge.

Les joues de Rachel se colorèrent l'espace d'un clin d'œil puis elle se reprit, évitant soigneusement de le regarder.

« Eh bien, on n'est pas là pour s'extasier devant mes nouveaux choix vestimentaires ou autres... On est là pour discuter de la proposition du docteur Mac Laine...

— Oui, et puis il faut que je vous dise quelque chose, ajouta Adam.

— Attends, ordonna Alex, le front soucieux.

— Qu'est-ce que ?...

— Tais-toi. »

Le génie informatique se saisit de son Term, pianota sur l'écran du bout des doigts.

« Quelqu'un tente de nous espionner. Il a réactivé les caméras de la pièce sans que je m'en aperçoive.

— Hein ?

— Je ne comprends pas, ça vient de l'extérieur.

— Tu veux dire du serveur de Max ?

— Non, je veux dire de l'extérieur du Centre ! »

Adam et Rachel gardèrent le silence tandis que Vince se mettait à griffonner sur son carnet. Tous pensaient la même chose.

Le Centre était un havre de paix, une prison dorée dans laquelle ils étaient protégés. Des Autres, de ce monde qui ne voulait plus d'eux. Chacun ignorait où se situait exactement le Centre et ce qu'il pouvait bien y avoir autour, mais c'était leur cocon, leur forteresse.

Or, Alex avait détecté une intrusion, un ennemi qui tentait de les atteindre ici, au beau milieu de leur réunion secrète.

Le visage de l'adolescent trahissait une inquiétude inhabituelle.

« Qu'est-ce qui se passe ? demanda Rachel en se penchant sur le terminal portable.

— Je n'en sais rien... Mais c'est fort, très fort.

— Et ça signifie quoi ? »

Alex ne répondit pas. Ses doigts caressaient l'écran à une vitesse incroyable, au rythme du duel invisible qu'il se livrait avec le mystérieux espion. L'adolescent marmonnait entre ses lèvres tandis que défilaient des milliards de lignes de code.

Les autres retenaient leur souffle, suspendus au verdict de leur ami.

« Incroyable ! finit-il par lâcher.

— Quoi ?

— Regardez ! »

Un aigle, impérial, aux ailes déployées. Entre ses serres, deux éclairs. Le même symbole que sur le badge du docteur Wertz !

Vince interrogea Rachel et Adam du regard. Mais ce fut Alex qui répondit.

« Je suis remonté à la source du signal... Je pensais qu'il s'agissait d'un hacker plus doué que d'habitude... Et je suis tombé là-dessus. »

Il tapota sur le Term.

Le logo disparut, laissant la place à des lettres rouge vif.

Vous tentez de pénétrer sur un site gouvernemental. Selon les termes des accords internationaux en matière de sécurité des réseaux d'information, ceci est passible d'un internement en centre de recalibration citoyenne ainsi que de la saisie du matériel informatique incriminé et d'une amende allant jusqu'à 10 000 eurodolls. Veuillez

vous dénoncer au plus vite auprès des services de sécurité de votre bloc afin d'al-
léger votre condamnation future.

« Ben merde, alors ! » s'exclamèrent-ils en chœur.

Séquence 05 DARKNESS WHISPERS

« Seems like yesterday we were sixteen.
We were the rebels of the rebel scene. »

CRANBERRIES

Convaincre Alex de pénétrer dans le domaine secret de Rachel n'avait pas été une mince affaire. Les faux plafonds et leurs kilomètres de passages étroits, de passerelles précaires encombrées de gaines, de tuyaux et de toiles d'araignée le terrifiaient.

Adam avait trouvé l'argument ultime : là-haut, il aurait un accès direct à tout le réseau informatique, il pourrait se connecter discrètement sur les câbles qui envahissaient l'espace exigu. Une tentation à laquelle le petit génie n'avait pu résister.

À présent, les Insoumis s'étaient réfugiés dans l'un des carrefours que formaient les imposantes canalisations du système de ventilation. Tous les quatre se tenaient serrés les uns contre les autres, dans le noir. Personne ne parlait, chacun appréciant la présence de son voisin, attentif à son souffle, au moindre de ses mouvements. Comme s'ils ne formaient plus qu'une seule entité, soudés par l'amitié et cet étrange sentiment : le désir de résister.

Rachel rompit le silence.

« Là, au moins, personne ne pourra nous espionner... »

Elle avait parlé d'une voix douce, un murmure à peine audible.

« Lumière-s'il-vous-plaît-lumière-vite-lumière-s'il-vous-plaît. »

Merde, Alex commence à paniquer ! pensa Adam.

Vince écrasa son pouce sur l'interrupteur de son Term. Un éclat bleu se refléta sur les parois acier, déposant sur les visages des Insoumis une lueur apaisante.

Rachel s'adressa aux garçons, un large sourire éclairant ses traits.

« Alors, j'avais pas raison ? on n'est pas bien, ici ? »

En guise de réponse, les adolescents lui lancèrent un regard surpris.

« Ben quoi ? » insista-t-elle.

Elle avait l'air tellement étonnée de leur réaction que sa bouche s'était tordue en une moue de déception. Elle semblait si sérieuse que les adolescents ne purent s'empêcher de pouffer.

« Tu as raison, commença Alex entre deux glousse-ments, il faut juste prier pour qu'aucun d'entre nous n'ait mangé de haricots ! »

Rachel le dévisagea, stupéfaite. C'était la première que leur ami faisait une blague. Une blague d'un goût douteux certes, mais une blague tout de même.

Elle se tourna vers les deux autres Insoumis et éclata de rire.

Tous oublièrent un instant qu'ils devaient bientôt rejoindre leurs chambres, que, le lendemain, ils redevien-draient les pensionnaires du Centre.

Adam ne pensait plus à la convocation du docteur Wertz. Il se sentait bien, normal.

*

« Tu prends bien tes médicaments ? »

Adam ne répondit pas.

Il attendait que le médecin lève la tête, qu'il daigne enfin le regarder. Mais visiblement, le docteur Wertz n'était pas du genre à chercher le contact.

Depuis le début de l'entretien, le psychiatre parcourait avec obstination l'impressionnante liasse de son vieux dossier médical. Des dizaines de pages noircies d'observations, d'examens sophistiqués et de tests en tout genre. Des centaines d'heures passées à remplir des questionnaires. Jusqu'au jour où le verdict était tombé, implacable : « schizophrénie paranoïde ».

Deux mots, une sentence.

Adam y avait gagné un bracelet de plastocuir vert et une cellule dans un Institut de recalibration mentale. Douze mètres carrés d'isolement éclairés par une fenêtre grillagée.

Et des médicaments. En gouttes, en comprimés, en injections, qui le maintenaient dans un monde cotonneux, entre cauchemar et réalité, en proie à des hallucinations de plus en plus cruelles. Personne pour le rassurer, personne pour lui parler vraiment.

Adam frissonna.

Il s'efforçait de garder ces souvenirs dans l'ombre, de ne pas y penser. C'était avant le Centre, avant le docteur Grüber, quand il n'était qu'un paria...

L'adolescent balaya ces résurgences pour se concentrer de nouveau sur le jeune praticien, le rose bonbon de son cuir chevelu entre ses mèches blondes, si blondes qu'elles en paraissaient blanches. L'homme finit par abandonner sa lecture.

« Tu comprends ce que je te demande ? » insista-t-il en détachant chaque syllabe.

Adam hésita. Il n'avait aucune envie de répondre. Il voulait se lever et sortir de la pièce en claquant la porte. Mais quelque chose le retenait. Le tremblement qui agitait la lèvre inférieure de son interlocuteur, peut-être.

Il se contenta de hocher la tête.

« Alors, réponds-moi.

— Quoi ?

— Prends-tu bien tes médicaments ?

— Oui. »

Le médecin sourit puis replongea dans le dossier.

L'adolescent ne comprenait pas pourquoi le docteur Wertz l'avait convoqué. Le docteur Mac Laine avait précisé qu'elle continuerait à s'occuper de lui...

Que lui voulait-il ?

Depuis la disparition de Charles, le Centre se transformait. L'ambiance était pesante et les Insoumis avaient du mal à se réunir pour comprendre ce qui se passait. Il était évident que Grüber dissimulait d'importantes informations, qu'il était à la botte de l'Extérieur.

Tout devenait trop compliqué.

Rachel, le nouveau médecin, la Chambre Perdue, la Yuki-Onna... Trop d'émotions, trop de mystères...

Adam soupira et reporta son attention sur l'horloge qui cliquetait au-dessus du docteur Wertz. Il avait hâte que cette journée s'achève, qu'il retrouve sa chambre pour attendre l'heure du rendez-vous secret fixé par Max sur l'intranet.

« Tu peux me dire ce qui se passe ici ? »

L'adolescent sursauta. Perdu dans ses pensées, il n'avait pas remarqué que le psychiatre l'observait.

« Pardon ?

— Tu sais très bien de quoi je veux parler... Vos petites virées dans l'Inside en solo... »

Adam s'efforça de dissimuler sa surprise. Comment pouvait-il savoir ?

« Je... je ne comprends pas... Je ne plonge qu'avec le docteur Mac Laine pour me soigner, c'est tout ce que... »

Le docteur Wertz sourit.

« Évidemment... Et tu ignores sans doute que ton copain Alex pirate les serveurs du Centre ?

— Je...

— Très bien, retourne en zone thérapeutique... Je crois que ton emploi du temps est chargé aujourd'hui... »

Séquence 06 SHADOW LAN

« Is our secret safe tonight ?
And are we out of sight ?
Or will our world come tumbling down ?
Will they find our hiding place ?
Is this our last embrace ?
Or will the walls start caving in ? »

MUSE

Le Term d'Adam s'anima.

Ressuscité à distance par les serveurs, l'appareil, posé sur son ventre, se mit à vibrer. Les ondes spasmodiques se propagèrent dans sa poitrine.

À intervalles réguliers, elles stimulaient la surface de sa peau nue avant de s'insinuer le long de ses nerfs et agacer le centre d'éveil de son cerveau. Une sensation fruste que son esprit ne parvenait pas encore à interpréter.

Adam baignait dans les ténèbres du sommeil, dans ce *no man's land* vidé de toute conscience. Un moment précieux, propice aux questions existentielles...

Qu'allait-il trouver en ouvrant les yeux ? Sa chambre ? Le Centre ? Rachel ?

Parfois, il se surprenait à souhaiter que sa vie ne soit qu'un rêve. Que sa vérité était ailleurs, loin des persécutions du couple Hyde-Jekyll, loin des médicaments et des séances de thérapie. Qu'Adam n'était qu'une construction de son esprit, un adolescent imaginaire destiné à hanter ses cauchemars.

Mais le Term insistait, effaçant ces pensées réconfortantes.

Le signal !

Retour à la réalité.

Adam se redressa sur son lit, jeta un coup d'œil aux filaments de son réveil qui rougeoyaient dans la pénombre.

02 : 00

L'heure à laquelle *ils* s'étaient donné rendez-vous.

« Ouvrir : session », lança-t-il d'une voix endormie.

L'écran du mur s'éclaira, baignant la chambre d'une lueur froide. En bas, à droite, deux icônes clignotaient avec insistance.

« Conversation. »

« Ben, qu'est-ce que tu fichais ? » tonna Rachel à travers le haut-parleur.

Adam songea un instant à la jeune femme, à cette touche de maquillage qu'elle arborait depuis peu. On aurait dit le clone de cette androïde mélancolique dans le nouveau *Blade Runner Regenesis*, Pris... Le même prénom que l'intelligence artificielle de Max.

Coïncidence ?

« Je crois bien que je me suis endormi...

— Eh bien, secoue-toi, le docteur Mac Laine est en ligne. Max nous rejoindra plus tard.

— Je ne te vois pas.

— Alex a désactivé les flux vidéo pour ne pas être repéré par les systèmes de sécurité. Il s'est mis en mode Shadow et vérifie que personne ne nous espionne.

— O.K. »

Adam tendit la main pour se saisir de son casque sans fil, l'ajusta sur sa tête puis l'activa.

« Bonsoir, les enfants. »

Il frissonna.

Depuis que Sarah Mac Laine pratiquait l'hypnose avec lui, sa voix lui faisait toujours un effet particulier. Quelques syllabes à peine suffisaient à le plonger dans un état second.

« Je... Ce que je vais vous dire maintenant doit absolument rester entre nous, car j'ignore sur qui je peux compter, ici... »

Le médecin paraissait tendu.

« En fouillant dans les archives du Centre, j'ai découvert que le dossier d'Adam avait été falsifié...

— Que voulez-vous dire ?

— C'est une note du docteur Grüber qui a attiré mon attention. Un mémo qui décrit tes plongées dans l'Inside en sa compagnie... »

Tout en écoutant le médecin, Adam s'efforçait de se rappeler les séances avec le directeur. Mais, étrangement, sa mémoire ne lui renvoyait que le visage du docteur Mac Laine. Comme s'il n'y avait jamais eu d'immersion avec Grüber.

« Voici ce qu'il écrit : *Le sujet fait preuve d'une adaptation remarquable. Ses prouesses dépassent de loin mes espoirs les plus optimistes. L'Implantation est un véritable succès et ses effets secondaires restent tout à fait contrôlables. Je pense que nous allons pouvoir passer à la phase suivante. L'Autre vient d'être transférée, elle sera préparée demain...* Le lendemain, tu plongeais avec Vince... »

Adam avait du mal à suivre.

L'implantation ? L'Autre ? Il y a donc un rapport avec la policière ?

« Mais ce n'est pas tout... Monsieur Dombrowski ? »
L'icône de Max venait de s'activer.

« Bonsoir... Je n'en suis pas encore sûr mais on dirait
que tous les fichiers concernant tes antécédents, ton passé
ont été modifiés... Je n'ai même pas retrouvé la trace de
ton arrivée ici. Ni vidéo, ni scan, ni aucune observation... »
Adam tiqua.

Il se souvenait pourtant très bien de l'accueil qu'on
lui avait réservé, du sas de décontamination dans lequel
s'était engouffrée l'ambulance, de ces longues minutes
à attendre sous la pluie fine des brumisateurs. Et puis
les rayons impersonnels du scanner, les questionnaires
standardisés, l'examen physique avant d'être conduit dans
sa chambre. Ces quelques mètres carrés d'une blancheur
irréprochable.

Alx @ Groupe : Exact. Les données ont été
reformatées.

Le mode Shadow Lan ne lui permettait pas de communiquer vocalement. Il devait se contenter de la messagerie
instantanée.

« Bref, on s'est visiblement donné du mal pour modifier
certains éléments, acheva Max.

— Or, la seule personne qui y avait accès était le docteur Grüber, ajouta Sarah Mac Laine.

— Et ça veut dire quoi tout ça ? demanda Rachel.

— Je l'ignore, à part que le directeur nous ment...

— Il y a encore autre chose, renchérit Max. Alex ? »

Alx @ Groupe : Oui ?

« Tu veux bien transférer les données que tu as pira-
tées ? » Aussitôt un dossier apparut sur l'écran.

Sur la pochette virtuelle, un aigle enserrant deux éclairs.
Toujours le même logo.

Des fichiers s'ouvrirent, comportant des photos.

On y apercevait le docteur Grüber en compagnie d'un
homme étrange. Petit, le cuir chevelu ajouré de plaques
glabres. Puis une poignée de main avec une femme en
uniforme noir et quelques clichés du psychiatre en blouse
blanche devant un énorme fauteuil bardé de systèmes
électroniques, un vague ancêtre du Divan, le dispositif
qui leur permettait de plonger dans l'Inside.

Et toujours ce symbole, partout.

« Ce que vous voyez date d'avant l'ouverture du Centre...
Et regardez ça ! »

Dr H. Grüber. Notes.
Aujourd'hui est un jour historique. Nous
sommes à l'aube d'une découverte qui risque
de bouleverser nos plus grandes certitudes.
Il va être possible de naviguer dans le
cerveau d'un sujet et d'en modifier le fonctionnement : les perspectives thérapeutiques
paraissent extraordinaires. J'espère seulement que la Compagnie va me laisser développer Reset en toute indépendance. Je vais
devoir être prudent.

« Le reste des informations doit encore être décrypté »,
acheva Max.

Adam était totalement décontenancé. Il avait soudain
l'impression que toutes les intuitions de Rachel se véri-
fiaient : ils étaient au cœur d'un vaste complot !

« Tout cela tend à prouver que le Centre n'est peut-être pas vraiment dirigé par le docteur Grüber et que le programme Reset n'est pas seulement un outil thérapeutique. L'Inside a été créé dans un autre objectif et je suis bien décidée à découvrir lequel... » conclut Sarah Mac Laine.

*

Dans sa chambre, rivé à l'écran de son terminal, Alex avait repéré l'intrus.

Dissimulé derrière un leurre – une procédure de vérification bidon – le hacker était là.

Il s'infiltrait toujours plus loin, abattant les défenses sophistiquées du serveur les unes après les autres. Il devait disposer d'un matériel ultra-performant ou d'informations très précises car il agissait comme s'il connaissait l'architecture du réseau. Il contournait les obstacles les plus solides, évitait les *firewalls* les plus puissants pour s'infiltrer dans les zones vulnérables.

Alex avait beau s'en défendre, il était admiratif de la virtuosité du pirate. Ce dernier exploitait la moindre faille sans qu'il puisse tenter quoi que ce soit pour l'arrêter.

Le système qu'il utilisait était bien trop limité pour qu'il espère se dresser sur son chemin. Il devait en parler à Max mais une autre idée lui était venue.

Il fallait qu'il s'immerge dans la machine.

Son vieux rêve... Et puis c'était l'occasion de tester son invention. Une interface directement branchée sur ses propres nanobots.

Alex jeta un dernier coup d'œil sur la progression de l'intrus. Bientôt, celui-ci atteindrait le cœur du système et il serait capable d'en prendre le contrôle. Ensuite, s'il était aussi habile que l'adolescent le supposait, plus personne ne pourrait le repérer. Pas même Max.

Alex se leva et libéra un tiroir dissimulé dans le pied de son lit. Il en extirpa une sorte de bonnet parcouru d'une résille de cuivre. Il en vérifia les connexions et ouvrit le panneau de visite de son ordinateur personnel. Muni d'un thermovis, il souda quelques fils puis enfila l'étrange couvre-chef.

Alex frissonna d'excitation. Il allait se fondre dans le réseau. Il ne restait plus qu'à prier pour que les nanobots tiennent le coup.

Il lança une procédure pour les reprogrammer puis il écrasa son pouce sur la dalle tactile de son Term.

À l'instant où les flux d'électricité se déversèrent dans les câbles, son cerveau explosa.

*

« Voilà pourquoi je pense qu'il nous faut plonger tous les deux... Si nous parvenons à comprendre ce que Grüber a trafiqué dans ton esprit, Adam, nous comprendrons peut-être son objectif...

— Mais ça risque d'être dangereux ! objecta Rachel.

— Je... Pas cette fois-ci : je serai là pour préserver Adam, c'est moi qui maîtriserai l'Inside et je veillerai à ne pas le brusquer.

— Que comptez-vous faire exactement ? » demanda ce dernier.

La psychiatre marqua un temps d'arrêt.

« Je voudrais explorer ta mémoire, sachant que Reset n'a pas vraiment été conçu pour cela. Le programme a été mis au point pour opérer une restructuration de ton esprit en direct, pas pour déterrer ce qui y a été enfoui...

— Mais vous allez tout savoir...

— Que veux-tu dire ?

— Mes secrets, mes pensées, plus rien ne sera...

— Oui. »

L'idée terrifia Adam.

Quelqu'un allait s'introduire dans son cerveau, ouvrir une boîte de Pandore qu'il n'était pas sûr de pouvoir refermer.

« Adam, je ne te le demanderais pas si je pensais qu'il y avait le moindre risque pour toi.

— Les... les autres, ils vont tout voir aussi ?

— Non, Max et Alex ont bricolé une procédure de cryptage. Ils ne surveilleront que nos paramètres vitaux.

— Et en cas de problème ?

— Max a retravaillé sur les implants. Le Chapelier sera à nos côtés, entre autres.

— Il n'est pas... mort ?

— Non, ce que tu as vécu avec Johnson n'était qu'un enregistrement...

— On va trouver quoi, à votre avis ?

— Je n'en sais rien, Adam. Mais il ne s'agit que de ton esprit, tu n'as aucun souci à te faire... »

Ouaip, un esprit où se balade un couple de psychopathes, c'est rassurant !

« Et je sais que tu as fait de gros progrès. Des progrès suffisamment importants pour vaincre tes propres démons. »

Souhaitons-le...

*

Alex ne sentait plus son corps, il n'avait plus de limite.

Son cerveau, saturé d'informations incompréhensibles, s'était déconnecté de toute sensation physique. Les nanobots tentaient de lui traduire ce qui se passait, en vain. *Comment un amalgame de neurones peut-il interpréter des flots de gigaoctets ?* pensa-t-il.

Et puis soudain, il *fut* l'ordinateur.

Chacun des composants du serveur faisait vibrer ses propres molécules. Il percevait les pulsations épileptiques des microprocesseurs, il entendait les cliquetis des disques durs, visualisait les chiffres, les symboles qui composaient les flots de données.

Mais lui, qu'était-il devenu ?

Il chercha les mots qui convenaient.

Flux.

Il était devenu un flux d'informations.

Il n'avait pas besoin de penser que déjà les choses se réalisaient.

Alors, il Le vit.

Un monstre.

Le logiciel avait matérialisé le pirate sous la forme d'une entité globuleuse qui étirait ses pseudopodes sur les cartes mères et contaminait le réseau de proche en proche. À son contact des lignes entières de codes se désagrégeaient.

Alex observa la scène durant quelques millisecondes, une éternité.

Puis il se lança à l'assaut.

Mais au moment où il allait entrer en contact avec l'intrus, une violente douleur explosa dans sa tête.

*

« Je suis d'accord !

— Adam, tu es sûr ? demanda Rachel.

— Oui. Mais il faut que je parle d'autre chose avant.

— Nous t'écoutons, l'encouragea Sarah Mac Laine.

— Le docteur Wertz m'a convoqué et il... »

Le cri strident d'une alarme l'interrompit.

Sur l'écran, l'icône d'Alex venait de disparaître.

*

Alex plongeait dans un tunnel de lumière.

Au fond, apparaissait un visage en filigrane. Un visage qu'il n'avait pas vu depuis une éternité... Celui de sa mère.

Séquence 07   **THIS IS
A LOVE SONG**

« Whisper to me softly, breathe words upon my skin.
No one's near and listening, so please, don't say goodbye.
Just hold me close and love me, press your lips to mine.
Mmmm, mmmm, mmmm, feels so right.
Feels so right.

Lying here beside you, I hear the echoes of your sighs.
Promise me you'll stay with me and keep me warm tonight.
So hold me close and love me, give my heart a smile.
Mmmm, mmmm, mmmm, feels so right.
Feels so right. »

ALABAMA

Une ligne brisée sur l'écran d'un moniteur, quelques bips intempestifs et un entrelacs de perfusions translucides : Alex.

La tête enrubannée de gaze, l'adolescent gisait sur les draps jaune réglementaire de l'infirmerie. Inconscient, les traits figés en une crispation douloureuse.

Il n'avait pas bougé depuis l'instant où les aide-soignants l'avaient retrouvé dans sa chambre, à terre, le crâne ouvert. Le docteur Mac Laine avait beau répéter qu'il ne s'agissait pas d'une blessure grave, Alex n'avait pas ouvert les yeux depuis lors.

Personne n'avait compris comment il avait pu se faire aussi mal.

D'abord Charles et maintenant Alex, songea Adam.

Il fit un pas et posa sa main sur celle de son ami.

Que va-t-il nous arriver encore ?

Rachel se glissa dans son dos. Il sentit sa présence, sa chaleur.

Il s'apaisa aussitôt.

La jeune femme vint se placer à côté de lui et entrelaça ses doigts avec les siens. Un frisson de plaisir parcourut Adam. Il se retourna, plongea son regard dans celui de Rachel.

Elle entrouvrit les lèvres.

« Je ne veux pas que tu... »

Adam l'interrompit en plaçant un index sur sa bouche. Il jeta un œil par-dessus l'épaule de Rachel. Ils étaient seuls – malgré l'heure tardive, le docteur Mac Laine les avait autorisés à rester quelques minutes au chevet d'Alex.

La jeune femme se blottit contre sa poitrine, calant sa respiration sur la sienne. Adam et Rachel ne se quittaient pas des yeux. Doucement, leurs mains se caressèrent, leurs lèvres se rejoignirent. Leurs corps trahissaient les sentiments qu'ils éprouvaient l'un pour l'autre, sans qu'il n'y ait plus besoin de mot.

Le temps se figea, les sonneries des scopes s'éteignirent et les murs de l'infirmerie s'évanouirent.

Ils étaient dehors, ailleurs, libres.

Jamais Adam n'avait connu une telle sensation. Du plaisir mêlé à de la crainte.

Partout, sa peau s'électrisait. Le moindre frôlement attisait la chaleur au creux de son ventre, accélérait les battements de son cœur, jusqu'au vertige. Il n'était plus qu'émotions. Il ferma les paupières.

Peu importe que quelqu'un puisse les surprendre, peu importe qu'ils ne soient qu'à quelques centimètres d'Alex. Adam voulait se fondre dans Rachel.

Mais la jeune femme rompit le contact, le repoussant avec douceur. Ses joues étaient rouges, ses pupilles brillaient de fièvre.

« Viens », lui souffla-t-elle en l'entraînant hors de la pièce.

Évitant l'œil borgne des caméras, ils se glissèrent dans le repaire des Insoumis. Rachel guida Adam jusqu'au canapé rouge. Elle l'abandonna un instant, seul dans l'obscurité.

L'adolescent n'osait plus bouger. Des dizaines de questions s'entrechoquaient dans sa tête, toutes aussi stupides les unes que les autres. Et puis, il y avait cette sensation qui lui tordait le ventre, mélange d'excitation et de peur.

Il était perdu, incapable de savoir ce qu'il devait faire, pétrifié par la révélation de leurs sentiments réciproques.

Une guitare cristalline le tira de sa réflexion. Quelques accords aériens, aussitôt rejoints par les rythmes lancinants d'une basse sensuelle. Quelques murmures s'élevèrent, cédant bientôt la place à un chœur féminin.

À l'instant où il s'éteignit, Rachel se matérialisa devant lui.

Les lueurs de l'écran géant allumé derrière elle déposaient des touches de lumière sur sa peau. Elles soulignaient le galbe de son épaule, les cicatrices sur ses avant-bras tandis que le chanteur murmurait :

« *Moon on your skin... Embrace my mind... Wish nothin'... Make me blind...* »

La jeune femme s'avança lentement. Elle avait fermé les yeux, bercée par la mélodie.

Adam se leva. Son cœur menaçait de sortir de sa poitrine, ses jambes tremblaient. Il avait tout oublié : Alex, le docteur Wertz, le Centre même.

« Rachel, je...

— Comme c'est mignon ! » ironisa une voix derrière eux.

Les deux adolescents sursautèrent et se retournèrent.

La silhouette décharnée de Jason se découpait en contre-jour sur le seuil de la porte. La pénombre dissimulait son visage et un étrange point lumineux pulsait à hauteur de ses yeux.

Une caméra !

Jason était en train de les filmer !

« Qu'est-ce que tu fiches là ? gronda Rachel.

— Je fais un reportage sur la vie du Centre...

— Quoi ?

— Une petite vidéo qui devrait intéresser le docteur Wertz et vous conduire directement en iso... ajouta-t-il en reculant.

— Arrête tout de suite !

— Pas question... Je vous aurai tous, les uns après les autres...

— Salaud ! » hurla Rachel en se précipitant vers le jeune homme.

Adam essaya de la retenir mais elle le repoussa d'un geste. Il retomba sur le canapé tandis qu'elle disparaissait à la poursuite de Jason.

L'adolescent s'élança à son tour.

Trop tard.

L'alarme résonna à nouveau tandis que les lumières du Centre déversaient leurs photons dans les couloirs.

Il était presque trois heures du matin et même si le docteur Mac Laine leur avait donné la permission d'aller voir Alex quelques instants, rien ne les autorisait à traîner en dehors de leurs chambres aussi tard. Le règlement était très clair et les sanctions aussi.

Tétanisé par l'angoisse, Adam ne savait plus quoi faire.

Se cacher en attendant la fin de l'alerte ? Tenter de se faufiler dans sa chambre en profitant de l'agitation ? Rattraper Rachel en ignorant où Jason avait bien pu l'entraîner ?

« Décide-toi. Les aides-soignants ne vont pas tarder à te trouver... » glissa le Comique.

Mais Adam était incapable de réfléchir, son esprit tournait à blanc. Et plus les secondes passaient, plus la crainte s'amplifiait.

Il se laissa glisser le long du mur et se prit la tête entre les mains.

« Alors, le schizo, on craque ? » glissa docteur Jekyll.

« Taisez-vous ! Taisez-vous donc ! » hurla l'adolescent tandis que des larmes d'épuisement, de frustration et de peur inondaient son visage.

Bientôt viendrait la crise, il le savait. Il l'espérait presque...

Dans quelques secondes, les infirmières ou les agents de sécurité le trouveraient ici, étendu au milieu du couloir. Tout le Centre serait au courant et il serait conduit en isolement. C'était sûr.

Si seulement il pouvait être certain que Rachel s'en était sortie.

« Espère, petit schizo, espère... Mais ta dulcinée doit déjà t'attendre au pays des frappadingues... Et nous aussi ! »

Adam n'avait même plus la force de lutter. Il se recroquevilla sur lui-même, les mains crispées sur ses oreilles et s'abandonna au couple infernal.

« Petit schizo, va en iso...
— Petit crétin, n'a plus rien...
— Plus que nous...
— Pour le rendre fou ! »

« Lève-toi ! »

L'ordre avait claqué comme un coup de feu, chassant aussitôt Miss Hyde.

Sans vraiment comprendre, Adam leva les yeux. Devant lui se tenait le docteur Wertz, impeccable dans son pyjama de soie verte.

« Lève-toi, tout de suite ! »

Le ton était dur, cassant. L'adolescent s'exécuta.

« Que fais-tu ici ? »

Silence.

« Réponds et vite, sinon...

— Sinon quoi, docteur Wertz ? »

Sarah Mac Laine s'approcha à son tour. Ses cheveux défaits ondulaient sur ses épaules dénudées par un T-shirt sans manche. Une colère froide incendiait son regard.

Le psychiatre se planta devant elle, la défiant de sa stature athlétique.

« Docteur Mac Laine ! commença-t-il d'un ton mielleux, vous tombez bien.

— On dirait, oui, répondit-elle sèchement. Que se passe-t-il ?

— Il semblerait que votre petit protégé se permette de se balader dans le Centre en pleine nuit.

— Je sais. Je lui ai donné la permission de rester auprès de son ami.

— Ah ? Et vous l'avez sans doute autorisé à déclencher l'alarme, je suppose... »

Il pense que c'est moi qui ai donné l'alerte ? Rachel a donc réussi à regagner sa chambre... Mais Jason ?

« Je n'avais pas prévenu la sécurité. Les agents ont dû l'apercevoir sur les écrans de contrôle.

— Une bien fâcheuse négligence, docteur Mac Laine, ironisa Wertz.

— Ce n'est pas à vous d'en juger. Je vous rappelle que vous n'êtes là que pour quelques jours, pour pallier l'absence du docteur Grüber.

— Certes. Mais j'appartiens à la Compagnie, tout comme vous... Et nous nous devons donc de respecter les règles, ce que vous semblez avoir oublié. »

Sarah Mac Laine s'avança imperceptiblement, la mâchoire crispée, comme si elle allait gifler son interlocuteur. Les deux médecins se tenaient face à face, tels deux boxeurs avant le combat.

Fais quelque chose ! Fais quelque chose ! Fais quelque chose ! Fais quelque chose !

Adam hésitait. Son instinct lui hurlait de partir en courant, ses entrailles rêvaient d'en découdre avec Wertz et son esprit tentait de l'entraîner vers une crise.

Mais il se contenta de s'interposer entre les deux thérapeutes, sans rien dire.

« Vous allez me suivre en isolement, déclara le psychiatre, ravi de la diversion.

— Hors de question, trancha Mac Laine en posant ses mains sur les épaules de l'adolescent. Vous allez laisser cet enfant tranquille... »

Puis, s'adressant à Adam :

« File dans ta chambre et repose-toi. Nous devons plonger dans quelques heures à peine...

— Mais... tenta Wertz.

— C'est un ordre ! »

L'homme se tendit. Ses poings s'étaient refermés sur ses cuisses.

« Ceci est votre dernière erreur, docteur Mac Laine », lança-t-il en tournant les talons.

Séquence 08   **BACK TO THE
DARK CURE**

03 : 00 : 00

Le Divan.

Une tonne d'électronique dernier cri dissimulée dans un imposant fauteuil recouvert de plastocuir, un mastodonte dédié à l'exploration de l'inconscient.

Bardé de câbles, de moniteurs et d'écrans de contrôle, l'engin évoquait le siège d'un vaisseau spatial. Celui d'un intercepteur mandalagorien, pour être plus précis.

Adam sourit à cette pensée : Charles aurait sans doute était d'accord avec lui...

L'adolescent s'avança vers la machine, écarta le faisceau de fibres optiques qu'on lui fixerait bientôt sur la tête et s'installa.

Aussitôt, le Divan réagit. Sa surface épousa la silhouette d'Adam, lui procurant un sentiment immédiat de bien-être.

Il songea un instant que le docteur Mac Laine devait être en train de réaliser les mêmes gestes, dans la salle d'immersion adjacente.

Il était heureux. Dans quelques minutes, il allait retrouver sa thérapeute au cœur du programme.

Un vrai plaisir.

Même lorsqu'il s'agissait de séances complexes, les plongées en compagnie de la psychiatre se déroulaient dans une atmosphère sereine. Le docteur Mac Laine n'avait pas son pareil pour apprivoiser l'Inside.

« Tu es prêt ? »

Le visage de Max venait de faire son apparition dans son champ de vision. L'informaticien embaumait le parfum cerise-gingembre, la dernière innovation du fabricant de sucettes. Adam leva le pouce. Il frémit lorsque les mâchoires métalliques des fibres optiques se refermèrent sur son cuir chevelu.

« C'est l'heure du marchand de sable... »

L'adolescent grimaça, il n'aimait pas cette phase. Ce plongeon dans les ténèbres brutal, sans transition. Max lui avait expliqué que c'était une séquence indispensable afin que le cerveau s'acclimate aux impulsions des nanobots. Le système stimulait les zones d'endormissement, emportant le sujet vers les limbes de l'inconscience. L'ingénieur en profitait pour procéder à une flopée de réglages et de vérifications.

Cinq.

Adam connaissait la procédure par cœur.

Quatre.

Il savait qu'il ne fallait qu'une poignée de secondes.

Trois.

Le visage de Rachel s'imposa dans son esprit.

Deux.

Sa peau, à présent.

Un.

Son sourire et...

Black-out.

La lumière en plein.

Crue, presque aveuglante, à peine voilée par la bruine noire. Une ondée légère et discrète.

Les buildings scintillaient d'or et de flammes, comme s'ils brûlaient d'un feu intérieur. Sur leurs parois verticales s'accrochait le bleu pâle d'un ciel d'été. Et même l'asphalte exhalait des effluves agréables, légèrement sucrés.

Un Inside apaisant, rassurant, l'Inside du docteur Mac Laine...

Adam contemplait la ville, se laissant bercer par la douceur du climat.

Les passants avaient relevé leurs manches et portaient leur veste sur l'avant-bras. Ils ne couraient pas, mais déambulaient sur les trottoirs, le nez en l'air, suivant la course tranquille des dirigeables publicitaires.

L'adolescent fronça les sourcils.

Tout était parfait. Trop parfait. Jamais l'Inside n'avait été aussi apaisant...

« Adam, je suis là. »

Il se retourna. Le docteur Mac Laine se tenait derrière lui. Elle avait abandonné les tailleurs stricts qu'elle portait au Centre pour une paire de jeans, un chemisier léger et un blouson de cuir noir. Ses cheveux roux incendiaient son visage.

D'un large geste, elle balaya le décor en reprenant :

« Ne sois pas étonné. C'est toi qui produis tout cela... Ce n'est que le reflet de ton état d'esprit. »

Adam sourit. Elle avait parfaitement compris ce qui l'avait troublé.

« Mais... je pensais que c'était grâce à vous.

— Ma présence ne suffit pas à expliquer un tel changement de l'Inside... C'est en toi qu'il faut chercher. »

Adam réfléchit. Entre l'accident d'Alex et le départ de Grüber, les derniers événements ne prêtaient pas vraiment à l'optimisme. Sans compter l'arrivée du docteur Wertz et les menaces de Jason.

Alors ?

La réponse s'imposa soudain. Tellement évidente...

Rachel.

Des images de la jeune femme l'assaillirent. Son sourire, sa peau. Puis vinrent les sensations, la douceur de ses caresses et cette chaleur au creux du ventre.

Adam sentit ses joues s'empourprer. Il baissa la tête afin que le docteur Mac Laine ne s'aperçoive de rien.

« Tu es sûr que ça va ? demanda-t-elle.

— Oui... oui, très bien. On doit aller où ? » s'empressa-t-il d'ajouter.

En guise de réponse, la psychiatre extirpa un Term chromé de la poche intérieure de son blouson. D'un geste rapide, elle en effleura la surface puis lui montra l'écran.

Le plan de la ville s'était affiché, diagrammes fluo sur fond noir.

« Tu vois cette zone, là ? »

Adam scruta l'endroit désigné. Juste à la frontière de la ville, en marge de la Zone Aveugle, l'image était légèrement plus pâle, presque floue. On aurait pu croire à un bug de la matrice, un défaut matériel.

Sarah écarta les doigts pour zoomer.

À présent, cela paraissait évident, le plan avait été trafiqué. Les pixels étaient énormes et il était impossible de distinguer le moindre détail du quartier et encore moins de s'y diriger.

« Qu'est-ce que c'est ?

— L'un des endroits les plus importants de ton esprit... Comme tu le sais, l'Inside est une matérialisation de tes pensées les plus profondes, de tes croyances, de ta personnalité...

— Que vous m'aidez à modifier pour que je guérisse.

— C'est cela. Eh bien, la zone que tu découvres ici et que le docteur Grüber a surnommé le Bunker contient tous tes souvenirs, même ceux dont tu ne veux pas te rappeler.

— Ma mémoire ?

— *Tes* mémoires pour être plus précise. C'est là que nous allons puiser pour travailler avec toi une scène douloureuse de ton passé qui empoisonne encore ton présent et provoque tes symptômes.

— D'accord, mais pourquoi c'est flou ?

— Hum, disons que le docteur Grüber ne voulait pas que tu puisses tomber dessus tout seul...

— Pourquoi ?

— L'inconscient est un marais bien boueux dans lequel les pires horreurs que tu as vécues ou que tu penses sont enfermées. Les affronter seul comporte des risques importants. »

Adam réfléchissait à toute vitesse. Il s'efforçait d'intégrer toutes ces informations et d'en comprendre les implications.

« Et on rentre comment dans ce Bunker ?

— Tous les thérapeutes assermentés en possèdent une clef... »

Adam regarda le docteur Mac Laine avec effroi.

« Ce qui signifie que n'importe qui peut accéder à mes souvenirs, découvrir mes secrets les plus intimes !

— Pas n'importe qui, seulem...

— Mais ce n'est pas moi qui devrais choisir ?

— Tu as sans doute raison... C'est pourquoi nous ne sommes que deux, le docteur Grüber et moi-même, à pouvoir utiliser l'Inside avec les patients.

— Et le docteur Wertz ?

— Il n'a pas obtenu l'accréditation, à ma connaissance. »

Adam soupira.

« Et on y va comment ? »

Un concert de klaxons étouffa la réponse du docteur Mac Laine.

Ils se retournèrent de conserve.

Derrière eux venait de surgir une splendide dépanneuse dont le radiateur s'ornait d'une paire de cornes de buffle flambant neuve. Au volant, le Chapelier souriait de toutes ses dents.

« Alors, vous montez ou vous attendez la prochaine diligence.

— Tu nous déposes à Bergen Street ? demanda Sarah Mac Laine dans un clin d'œil.

— Avec plaisir, gente dame ! »

Le cowboy ouvrit la porte passager, planta un cure-dent à demi mâché entre ses lèvres puis augmenta le volume sonore de l'autoradio.

« *Just call me Lucifer, cause I'm in need of some restraint, so if you meet me, have some courtesy...* »

Le moteur ronronnait au rythme des percussions.

Dès qu'Adam et sa thérapeute furent montés à bord du véhicule, le Chapelier écrasa ses bottes crotale sur l'accélérateur, faisant bondir l'engin.

Bientôt, ils quittèrent l'ombre des buildings pour s'enfoncer dans les faubourgs de la ville. Puis ils traversèrent une succession de terrains vagues, de friches industrielles et débouchèrent enfin sur Bergen Street.

En fait de rue, Bergen Street se résumait à une longue bande d'asphalte bordée de quelques ruines décolorées par la pluie. Un vieux garage encombré de carcasses rouillées, quelques bicoques en bois vermoulues et même un motel à demi effondré.

Malgré la présence du médecin, le ciel s'était chargé de nuages bas et la pluie s'intensifiait.

Le Chapelier appuya sur la pédale de frein.

« Madame, monsieur, la compagnie Old Chap vous remercie d'avoir voyagé à son bord et vous souhaite un agréable séjour.

— Vous ne venez pas ? s'étonna Adam.

— Je n'existe pas au-delà...

— Qu'est-ce que tu veux dire ?

— La Zone Aveugle obéit à ses propres lois... Elle est trop instable pour qu'un programme comme le mien puisse y survivre sans risquer d'être corrompu. Max m'a interdit de m'y aventurer. Mais ne t'inquiète pas, je vous attends ici. Allez, cours rejoindre le docteur Mac Laine. »

La psychiatre était déjà descendue et s'était avancée en direction du motel. Elle attendait Adam devant les quelques murs encore debout. Le reste de l'établissement n'était plus qu'un amas de poutres noircies, rongées par une végétation maladive.

L'adolescent rattrapa sa thérapeute au moment où elle s'engageait sur le perron de la bicoque lézardée. Les lambris lépreux de la façade semblaient prêts à se détacher et la tôle du toit avait depuis longtemps perdu sa couleur. Une vieille enseigne suspendue par des câbles électriques souhaitait la bienvenue au *Sunshine Motel*.

« C'est ça, le Bunker ? » demanda-t-il sans vraiment y croire.

— Non. Le *Sunshine* est juste le moyen d'entrer dans le Bunker, une sorte de sas si tu veux.

— Une précaution du docteur Grüber ?

— Exactement ! Seuls les psychiatres assermentés connaissent cet endroit et son... fonctionnement... Allez, viens. »

Le docteur Mac Laine extirpa un gros porte-clef de la poche de son blouson. Dans le plexiglas, un grand X était incrusté en liquide doré.

Adam regarda l'objet, puis le médecin se diriger vers la chambre numéro dix.

Il jura entre ses dents.

Symphony X... Penses-y autrement...

X désignait le numéro dix ! Voilà ce qu'avait voulu dire la Yuki-Onna ! La dixième symphonie ? Dès qu'il serait sorti de l'Inside, il fallait absolument qu'il en discute avec les autres !

« Adam, tu me suis ?

— Oui... Oui, pardon.

— Écoute-moi bien. Quoi qu'il arrive, ne me lâche pas. Lorsque je vais ouvrir la porte, nous allons pénétrer dans une chambre délabrée. Nous y patienterons quelques secondes puis je rouvrirai la porte et nous serons transportés à l'intérieur du Bunker...

— Vous voulez dire que la chambre fonctionne comme une sorte de téléporteur ?

— C'est ça, répondit-elle en souriant. Tu es prêt ? »

Adam acquiesça.

Sarah Mac Laine enfonça la clef dans la serrure, et tourna d'un geste sec.

Le battant s'ouvrit sur un lit défoncé, une table de nuit renversée et une vieille télé suspendue sur son socle poussiéreux.

« Entre, dépêche-toi ! »

Une fois à l'intérieur, la psychiatre patienta quelques instants puis renouvela l'opération.

Mais cette fois-ci, Bergen Street avait disparu.

À la place, s'écoulait le béton crasseux d'un quai de métro. Adam voulut s'avancer mais le docteur Mac Laine le retint.

« Attends ! »

Elle semblait contrariée. Elle referma la porte, l'actionna à nouveau.

Toujours le même décor.

« Qu'est-ce qui se passe ? demanda Adam qui avait perçu le malaise du médecin.

— R... rien... Nous devons être dans les sous-sols, voilà tout », lâcha-t-elle comme si elle cherchait à se rassurer.

Le docteur Mac Laine sortit de la chambre. Ses talons claquèrent sur le sol, réveillant d'étranges échos. Elle ne semblait pas à l'aise, comme si elle découvrait les lieux pour la première fois. Mais l'adolescent restait silencieux. Et lorsqu'il passa à son tour le seuil, la porte claqua dans son dos. Le temps qu'il se retourne, elle s'était évanouie.

Séquence 09 **SOUL EATER**

02 : 50 : 10

Un mur, c'était tout ce qu'il restait. Un pan de béton recouvert de faïence ébréchée, souillé d'affiches déchirées.

Le docteur Mac Laine avait beau parcourir la surface poisseuse, la porte s'était évaporée.

Adam regardait la psychiatre ausculter la paroi, tenter d'insinuer ses ongles dans les fêlures entre les carreaux, en vain.

Il gardait le silence, s'efforçant d'oublier la panique qu'il lisait sur le visage de sa thérapeute et qui faisait trembler ses mains. Sarah Mac Laine s'acharnait sur le moindre interstice. Parfois elle s'arrêtait, reculait d'un pas en fixant le carrelage avec intensité. Comme si elle tentait de percer le matériau du regard, comme si elle était persuadée que l'ouverture allait réapparaître d'une seconde à l'autre. Puis elle recommençait, marmonnant entre ses dents : « Ce n'est pas vrai, ce n'est pas possible... »

L'adolescent ne l'avait jamais vue perdre son sang-froid. Et pourtant, lui restait calme, étrangement serein. Impossible de savoir pourquoi.

Il abandonna le médecin et avança sur le quai désert, une vaste étendue grisâtre plantée de poutrelles rouillées, tailladée par les tranchées obscures des voies. Le plafond voûté disparaissait sous un entrelacs de câbles et de tuyaux rongés d'humidité. De loin en loin, des néons dispensaient une lueur épileptique tandis qu'au fond, un vieux distributeur de boissons ronronnait dans le silence.

Adam jeta un nouveau coup d'œil sur le docteur Mac Laine. Elle s'était assise contre le mur et parcourait l'écran de son Term avec nervosité. Elle devait chercher une explication. Il reprit son exploration.

Il s'approcha du bord du quai, passant derrière un pylône.

Les arêtes scarifiées des rails brillaient légèrement dans l'obscurité, accrochant quelques fragments de lumière. Emprisonné par les traverses grossières, le ballast exhalait une odeur de graisse froide et d'ozone.

Tendant l'oreille, Adam perçut même le grésillement discret de l'électricité qui alimentait le réseau. Il recula d'instinct, réalisant qu'une rame pouvait surgir et l'envelopper de son souffle mortel.

« Adam ? Où es-tu ? » demanda soudain le docteur Mac Laine en rangeant son Term.

L'adolescent émergea de l'ombre à quelques mètres du médecin.

« Je suis juste là. »

La psychiatre soupira mais une ride anxieuse barrait son front. Elle le rejoignit en quelques enjambées, le visage fermé.

« Viens, suis-moi, lâcha-t-elle.

— Vous savez où on va ? »

Adam regretta aussitôt d'avoir posé cette question. La psychiatre se tourna vers lui, les traits lourds de déception.

« Tu n'as pas confiance en moi ?

— Si, si... Je suis désolé, ce n'est pas ce que je voulais dire mais...

— Ne t'excuse pas, ajouta-t-elle avec un sourire mélancolique. Tu as raison de douter. C'est la première fois que je me retrouve ici et je suis aussi perdue que toi. Mais le Term indique la présence d'un escalier de service à l'autre bout du quai. Je pense que nous devons l'emprunter pour rejoindre l'intérieur du Bunker. »

Adam regarda dans la direction du distributeur, mais il avait beau scruter le mur, il ne distinguait aucune issue. Juste un incroyable amoncellement de cartons, d'emballages, de papiers froissés, maculés de taches sombres.

Peut-être que la porte se cache derrière cet amas de détritus ?

Comme si elle lisait dans ses pensées, le docteur Mac Laine le prit par les épaules en ajoutant :

« Viens, on va aller voir... »

Ils quittèrent les voies, rejoignant la partie la plus large du quai. Les murs disparaissaient sous les dalles noires d'écrans publicitaires endormis. Sur les surfaces polies, quelqu'un avait gravé d'étranges signes.

Adam ralentit pour s'attarder sur ces runes tandis que le docteur Mac Laine s'éloignait.

Les rayures semblaient avoir été jetées sans ordre ni signification. Pourtant Adam ne parvenait pas à détacher son regard des graffitis. Quelque chose au fond de son cerveau lui soufflait que ces signes lui étaient destinés.

Il colla son visage à quelques centimètres de la paroi. Une fine couche de givre masquait une partie des symboles.

D'un geste, il emprisonna le bout de sa manche dans son poing et essuya la buée froide avec le chiffon improvisé.

Des idéogrammes !

Il en était certain : la plupart ressemblaient à ceux qui ornaient les pages de ses mangas favoris. Mais il était incapable de les déchiffrer.

Du bout du doigt, il parcourut les runes griffées dans le verre. À cet instant, les barres, les courbes se mirent à bouger. Surpris, Adam recula.

Devant ses yeux, les sillons se mirent à migrer sur la surface des écrans et se réarrangèrent pour former des lettres, des mots, une phrase :

« *Même le meilleur miroir ne reflète pas l'autre côté des choses.* »

Adam lut le message à haute voix sans comprendre.

Un bruit interrompit sa réflexion. Juste au-dessus de sa tête, les tuyaux s'étaient mis à vibrer. Tous ensemble.

De l'eau ?

Il leva les yeux pour suivre la progression du liquide dans le réseau. Les tubes se déformaient sous la pression, quelques gouttes suintaient aux jonctions rongées d'oxydation. Le flot accéléra encore. Et soudain, les sprinklers se mirent à cracher une eau rouge dans un vacarme assourdissant. Durant quelques secondes, on aurait dit une averse de sang. Puis elle se mit à foncer jusqu'à devenir noire.

Une pluie de ténèbres, ici, dans les sous-sols !

« Adam ! Viens avec moi ! » hurla Mac Laine qui s'était collée contre le distributeur.

Mais il n'y avait aucun endroit pour se réfugier, pas un seul abri. Sauf cet amas de cartons qui dissimulait peut-être une issue.

Les dispositifs anti-incendie déversaient leur eau sombre sans discontinuer, vrillant les tympans, avalant la lumière des néons, noyant le quai sous une marée nauséabonde.

Un déluge de fin du monde.

Adam s'élança pour rejoindre le docteur Mac Laine. L'eau pesait sur leurs épaules, gorgeait leurs vêtements comme si elle s'efforçait de les plaquer contre le sol.

« Vite ! Aide-moi à dégager ça », ordonna le médecin en s'attaquant à la montagne de détritus qui s'avachissait peu à peu.

Sans hésiter, elle s'enfonça parmi les déchets abandonnés. Elle déchiquetait les cartons, broyait les emballages, se débattant au milieu d'un incroyable maelström de papiers gras et de détritus. Mais pour chaque centimètre gagné, la psychiatre disparaissait un peu plus, noyée de fragments, de lambeaux qui se plaquaient contre ses jambes, ses hanches, sa poitrine. Comme si elle était progressivement digérée par un monstre d'ordures.

Adam s'engagea derrière elle, mais soudain, les cartons s'écartèrent dans un grognement, libérant un impressionnant golem de bâches plastique. D'un geste large, il atteignit le docteur Mac Laine à l'abdomen. Surprise, elle ne put éviter le coup et fut projetée en arrière. Ses pieds dérapèrent sur une vieille boîte à chaussures détrempée.

Dans un « poc » sonore, son crâne heurta le sol. Une nuée rouge auréola sa chevelure rousse, s'épanouit sur le béton, avant d'être diluée par l'eau noire.

« Docteur ! » s'écria Adam en se précipitant vers elle.

Il fut stoppé net par une main gigantesque qui s'abattit sur son bras. Un étau broya son biceps.

« Bouge pas ! » gronda le golem.

Adam tourna la tête.

Face à lui, un géant hirsute achevait de s'extraire de sa gangue translucide. L'homme empestait la sueur et le mauvais vin. Dans son regard jaune cirrhose brillait une lueur étrange. De son bras libre, il se gratta la barbe, écrasa un parasite qui tentait de se réfugier dans un repli de son cou avant de demander d'une voix rocailleuse :

« T'es qui, toi ? »

La peur scellait les lèvres d'Adam. L'homme le secoua.

« T'es qui, toi ?

— Je... Adam, je m'appelle Adam... Lâchez-moi, s'il vous plaît, vous me faites mal. »

Mais le géant poursuivit comme s'il n'avait rien entendu.

« Adam... Hum... Adam comment ?

— Lâchez-moi, répéta l'adolescent terrifié, il faut aider le docteur Mac Laine, elle est blessée !

— Adam comment ? » insista l'homme.

Il fallait répondre pour espérer que le géant le lâche.

« Adam, seulement Adam. »

L'homme réfléchit.

« Ah ? C'est embêtant ça.

— Pour... pourquoi ?

— Parce qu'il n'existe que deux sortes d'entités qu'on ne connaît que par leurs prénoms : les clochards et les anges[1]. Le seul clochard ici, c'est moi et les anges sont morts depuis longtemps... Alors, t'es qui, toi ? »

Adam ne comprenait rien, paniquait totalement.

---

1. Citation empruntée au *Miroir de Cassandre* de Bernard Werber.

L'homme était manifestement fou. Adam ne voyait pas comment il allait pouvoir s'en sortir et encore moins comment secourir sa psychiatre.

« Lâchez-moi, s'il vous plaît, supplia-t-il au bord des larmes.

— Inutile de pleurer, ça ne marche pas avec moi...

— Mais il faut aider le docteur Mac Laine.

— C'est qui ça ?

— Elle ! » déclara Adam en désignant la silhouette étendue derrière lui.

Le géant le fixa quelques secondes puis exhiba ses gencives gâtées de nicotine.

« Abracadabra ! » gronda-t-il tout en fouettant l'air de son bras.

Aussitôt, deux langues de plastique s'extirpèrent du tas d'ordures pour s'enrouler autour des poignets d'Adam et l'immobiliser. Puis l'homme se retourna dans un grand geste théâtral et...

Sarah Mac Laine avait disparue !

« Qu'est-ce que vous avez fait ? hurla Adam. Où... où est-elle ?

— Là où elle devrait être, en sécurité.

— Ça suffit ! Je ne comprends rien ! Dites-moi ce qui lui est arrivé, tout de suite ! »

Le géant s'approcha de lui, les mâchoires crispées.

« C'est moi qui pose les questions ici, dit-il en posant son immense main sur son cou.

— Je...

— Calme-toi et réponds : qu'est-ce que tu fiches ici ? »

Les doigts pesaient sur la gorge d'Adam, juste pour le retenir. Mais l'adolescent ne savait pas quoi répondre.

« Dépêche-toi ou tu vas finir en iso pour un long moment !

— Le Bunker... Nous sommes venus pour comprendre ce que le docteur Grüber a fait !»

Le clochard relâcha Adam et sourit.

« Grüber ? Tu veux comprendre ce que fait Dieu ? Joli programme, ma foi. »

Séquence 10 RIEN

« On n'oublie rien de rien
On n'oublie rien du tout
On n'oublie rien de rien
On s'habitue, c'est tout »

JACQUES BREL

La corde s'était profondément enfoncée dans les chairs. Elle avait déposé un large sillon à la base du cou, comme pour marquer l'endroit où il fallait faire tomber la lame de la guillotine.

Hans Grüber ne parvenait pas à détacher son regard de la trace rouge, de ce stigmate rectiligne qui avait failli le priver de sa vengeance. Mais curieusement, il n'était plus en colère. Il n'avait plus envie de tuer cet homme qui scrutait l'œil de la caméra avec morgue.

Non, le docteur Grüber ne souhaitait plus qu'une seule chose à présent, lui ouvrir le crâne pour découvrir où était Melody...

Tout simplement.

« C'est exactement ce que nous vous proposons, docteur », lui avait affirmé Frederik Smith en grattant les larges plaques de peau squameuses qui trouaient son cuir chevelu.

Fidèle à la promesse qu'il lui avait glissée dans le creux de l'oreille à la morgue, l'agent Smith l'avait rappelé quelques jours après la présentation du corps.

Il était venu le chercher à bord d'une vieille berline défoncée pour le conduire au cœur d'une zone industrielle désaffectée. Quelques dizaines de hangars bariolés de publicités qui défiguraient une campagne morne.

Sans une explication, ils s'étaient engouffrés dans un bâtiment de ciment et de verre teinté. Une façade délavée où s'accrochaient les fragments d'une enseigne-néon : Volper's inc., ingénierie de la santé et techniques innovantes.

À l'intérieur, tout était blanc.

Les murs, le sol, le mobilier, les ordinateurs, un décor d'une froideur clinique où s'agitaient quelques secrétaires en tailleur.

« Qu'est-ce que c'est ? avait demandé le psychiatre.

— La partie émergée de l'iceberg. »

Puis l'agent Smith l'avait guidé vers un ascenseur. Il avait posé sa main sur une plaque de verre. Un pinceau de lumière avait vérifié ses empreintes et les portes s'étaient refermées en couinant.

Quelques secondes plus tard, ils s'étaient retrouvés vingt mètres sous terre, face à un aigle gigantesque. L'animal, soigneusement empaillé, enserrait dans ses griffes deux éclairs de métal doré.

« Bienvenue au siège de la Compagnie, docteur Grüber !

— La Compagnie ?

— Votre nouvel employeur, si vous le désirez.

— Que voulez-vous dire ? Quel est le rapport avec Melody ?

— Vous allez bientôt comprendre, suivez-moi. »

Il l'avait alors guidé à grands coups de carte magnétique et de saluts militaires dans un dédale de couloirs encombrés de photocopieuses en panne et de gardes en uniforme pour atteindre, enfin, une petite pièce. Là, il avait écrasé son index sur un bouton, réanimant un écran géant dernier cri.

« Voici celui qui a enlevé votre fille, docteur Grüber. »

Le psychiatre n'avait rien dit.

Il s'était assis, le souffle coupé.

Bates !

Le psychiatre avait parfaitement reconnu son ancien patient.

Smith continuait mais le médecin était ailleurs, ramené dans le passé par ce visage rasé de frais qui observait autour de lui.

«... En somme, la Compagnie peut vous offrir tout ce dont vous avez besoin : un laboratoire, des crédits et même des... patients », avait achevé l'agent alors que le psychiatre ne quittait pas des yeux le ravisseur sur l'écran de contrôle.

Le silence fit exploser les pensées de Grüber.

Il se retourna vers l'agent Smith.

« Vous êtes sûr que c'est lui ? demanda-t-il.

— Que ?... Certain, pourquoi ?

— J'aimerais lui parler.

— Lui parler ? Impossible.

— Juste quelques mots... »

Smith hésita, toisant le médecin.

« Je vous donne dix minutes... Mais n'oubliez pas que vous êtes sous surveillance et qu'il représente le seul espoir de retrouver Melody... vivante, peut-être.

— Ne vous inquiétez pas, il y a bien longtemps que je n'ai pas tué quelqu'un... » ironisa Grüber.

Le claquement sec du verrou magnétique fit sursauter le psychiatre.

Il prit une grande inspiration tandis que la porte s'écartait avec un chuintement. Dans une poignée de secondes, il allait retrouver un cauchemar qu'il pensait terminé depuis longtemps.

« Il est tout à vous, docteur », murmura l'agent Smith avant de disparaître.

Une tache de couleur, agressive, incongrue. Orange écla-
tant sur fond blanc clinique : l'homme, dans sa combinai-
son carcérale, jurait dans le décor.
Il attendait, les chevilles et les poignets menottés.
Son visage s'éclaira tandis que son visiteur avançait et
s'installait sur la chaise face à lui.
« Docteur Grüber ! Quel plaisir ! »
Malgré le temps, sa voix n'avait pas changé. Ses accents
obséquieux réveillèrent aussitôt des images horribles. Des
clichés d'autopsie, de scènes de crime. Un voyage dans
l'horreur et le temps.
Près de vingt ans.
Gregory Bates.

Dossier d'expertise 166-22.
Nom : Bates   Prénoms : Grégoire alias
Gregory, Ange.

Caractéristiques socio-démographiques :
Patient âgé de 42 ans, marié, père de deux
enfants.
Profession : médecin anesthésiste.

Présentation :
Le sujet apparaît en bonne condition physique, sportif sans doute, soigné. Le sujet
est calme, souriant et se présente avec une
certaine désinvolture.

Le premier contact est de bonne qualité,
la verbalisation est spontanée et le discours
cohérent et adapté. On ne trouve aucune réti-
cence. Il n'exprime aucun élément délirant

de prime abord et ne présente pas d'attitude faisant soupçonner la présence d'hallucination visuelle ou acoustico-verbale.

Le docteur Grüber se souvenait parfaitement de cette première rencontre avec celui que la presse avait surnommé Candyman, en référence à une vieille légende urbaine. Insaisissable, il avait défié les services de police et fait les gros titres des magazines. Après sa capture, il avait plaidé la folie.

Avec un brio hors du commun, Bates avait simulé les symptômes d'une schizophrénie paranoïde, abusant les experts désignés par le tribunal.

Mais pas le docteur Grüber.

Celui-ci ne s'était pas contenté d'une paire d'heures entre deux rendez-vous pour donner ses conclusions. Il était venu rendre visite à Bates durant quatre semaines, chaque jour, avec la régularité d'un métronome. Il l'avait écouté, s'était immergé dans les pensées de cet homme et avait démonté les uns après les autres les arguments développés par la défense.

Au cours du procès, il s'était élevé contre l'avis d'éminents spécialistes, contre le bon sens populaire qui affirmait qu'il fallait être fou pour commettre de telles horreurs. Face à l'avocat, Hans Grüber s'était dressé pour se lancer dans un vibrant hommage à la maladie mentale, déstabilisant les certitudes du jury en concluant : « Gregory Bates n'est pas fou, c'est un monstre. Comme peuvent l'être la plupart d'entre nous... »

Des propos qui avaient fait la une des journaux, lui avaient valu de nombreuses condamnations et coûté sa place à l'université. Mais il avait convaincu les jurés et Bates avait été condamné à perpétuité : une vie derrière les barreaux pour penser à toutes celles qu'il avait détruites.

Sauf, qu'à l'évidence, il n'avait pas purgé toute sa peine.

Comme s'il devinait ses pensées, Bates lança :

« Liberté conditionnelle, cher confrère, liberté conditionnelle. Tous vos collègues ne sont pas aussi perspicaces ou incorruptibles que vous... »

Grüber garda le silence. Il attendait la provocation. Il savait que l'homme allait tenter de le pousser à bout, de le conduire sur le terrain de la violence. Il savait aussi qu'il ne fallait le sous-estimer sous aucun prétexte.

« La mémoire est une chose bien capricieuse, docteur Grüber, ne trouvez-vous pas ? Nous sommes bien souvent incapables de nous souvenir de notre repas de la veille, de l'endroit où nous avons posé nos clefs quelques minutes plus tôt, de la façon dont on était habillé la semaine dernière... Mais lorsqu'il s'agit de remonter dans le passé, de se plonger des années en arrière, les images sont d'une précision effroyable...

— Où voulez-vous en venir ?

— Je n'ai rien oublié de nos petites conversations. Je pourrais vous citer chacune de vos paroles, vous rappeler chacune de vos hésitations... Je pense même que vous aimiez discuter avec moi... »

L'homme se pencha en avant, comme s'il voulait lui confier un secret. Mais le psychiatre ne cilla pas.

« J'ai eu du temps, voyez-vous, beaucoup de temps pour penser à vous... Vous m'avez manqué... Pourquoi n'êtes-vous jamais venu me voir après ma condamnation ?

— Où est Melody ? » se contenta de répondre Grüber.

L'homme se renversa en arrière et sourit. Puis il se mit à chantonner.

« Elle avait de l'amour, pauvre Melody Nelson, ouais, elle en avait des tonnes. Mais ses jours étaient comptés : quatorze automnes et quinze étés... »

Une bouffée de haine submergea le psychiatre. Elle se nicha dans sa poitrine, déclenchant une douleur au niveau de son cœur. Mais il s'efforça de rester impassible.

« Qu'avez-vous fait de ma fille ? insista-t-il.

— Hum, Melody, répondit Bates. Si vous saviez à quel point sa peau est douce, son odeur délicate... »

Hans Grüber enfonça ses ongles dans ses paumes pour éviter de bondir, de lui arracher les yeux.

« Vous n'êtes qu'un malade ! lança-t-il.

— Content de vous l'entendre dire, docteur, susurra Bates. C'est pour cela qu'il faut me guérir... Je n'y peux rien, moi, ce n'est pas ma faute. Envoyez-moi à l'hôpital, s'il vous plaît...

— Ça suffit ! Vous savez bien ce que je veux dire ! Dites-moi où est Melody ! »

Bates soupira.

« Visiblement, vous êtes toujours aussi stupide, docteur... Vous n'avez toujours pas compris que nous étions semblables, vous et moi.

— Je n'ai rien à voir avec vous !

— Vous croyez vraiment ? Et pourtant, nous sommes tous les deux des catalyseurs de l'âme humaine. Moi, je ne fais que démontrer l'exactitude de votre théorie : nous sommes tous des monstres en puissance ! »

Grüber hésita à répondre, à se lancer dans une interminable et stérile argumentation, comme jadis. À l'époque, il avait même failli se laisser séduire, emporter par la perversité de Bates.

Personne n'en avait rien su.

Depuis, il avait appris à se maîtriser, à tenir à distance cette écœurante fascination dans laquelle l'homme voulait l'entraîner.

Il reprit avec douceur :

« *Dites-moi simplement si Melody est vivante...*

— *Elle l'est.*

— *Où est-elle ?* »

Bates s'allongea sur sa chaise, étira ses membres en faisant teinter les menottes qui l'entravaient. Puis il désigna son crâne avec son index.

« *Elle est là, docteur... Quelque part... Trouvez-la, si vous en êtes capable !* »

Neuf minutes et cinquante-neuf secondes plus tard, l'agent Smith vint chercher le docteur Grüber. Celui-ci quitta la salle d'interrogatoire sans un mot, sans un regard pour Bates et le suivit dans la pièce adjacente.

« *J'accepte votre proposition... lâcha-t-il.*

— *Pardon ?*

— *J'accepte d'intégrer la Compagnie pour achever mes travaux sur l'utilisation de la réalité virtuelle dans l'exploration psychique.*

— *Il n'a rien dit, n'est-ce pas ?*

— *Non.*

— *Bienvenue dans la Compagnie, docteur... Je vous raccompagne ?*

— *Pouvez-vous m'accorder encore quelques instants ?*

— *Bien sûr, je vous attends devant la porte.* »

Le docteur Grüber retourna devant l'écran de contrôle.

Ses yeux clairs scrutaient chaque mouvement, chaque haussement de sourcil du monstre qui refusait de révéler l'endroit où il avait séquestré sa fille.

Il planta son regard dans celui de Bates comme s'il cherchait à atteindre son cerveau.

« *Tu es là Melody, je le sais. Et je vais venir te chercher...* » *murmura-t-il enfin, en quittant la pièce.*

Séquence 11 **EVERYTHING
BEGINS WITH
A CHOICE**

02 : 32 : 56

L'averse cessa, d'un coup. Et il n'y eut bientôt plus que le bruit de l'eau ruisselant sur le quai, l'impact des gouttes s'écrasant sur les emballages entraînés vers les voies. Le déluge avait éventré la montagne de cartons, répandant ses entrailles de déchets sur le béton détrempé.

Les cheveux lourds de pluie et de crasse, le géant contemplait les ruines de son refuge. Le liquide avait délavé son visage, laissant apparaître des traînées de peau diaphane, semblables à des coulées de maquillage. Adam songea à l'un de ces clowns tristes qui hantaient les pistes de cirque dans les rediffusions de Web-o-One. Un étrange Auguste qui promenait son regard mélancolique dans un décor de fin du monde.

Que lui voulait cet homme ?

Impossible de savoir. Son comportement était tellement imprévisible que l'adolescent n'osait même plus prononcer un mot. Il avait peur de cette folie qu'il lisait au fond de ses yeux, peur de ses colères subites, de sa violence.

Était-ce un bug ? Une créature générée par la Zone Aveugle ?

D'après ce qu'il avait compris, le Bunker tout entier se situait à la frontière de cette curieuse portion de l'Inside où tout paraissait possible, où le programme lui-même s'était affranchi de son créateur.

Non, Hans le géant ne semblait pas être là par hasard et Adam refusait de croire que Max Dombrowski ait pu créer une aberration aussi dangereuse.

Il ne restait donc plus qu'une seule hypothèse...

Grüber. Mais pourquoi ?

L'adolescent ferma les yeux pour réfléchir, pour oublier l'angoisse qui engluait son esprit.

L'inspiration... L'expiration...

À chaque mouvement de sa poitrine, il s'enfonçait dans la transe hypnotique.

L'inspiration... L'expiration...

Bientôt, ses sens oublièrent l'odeur des ordures, le clapotis de l'eau et les pas lourds du géant sur le sol. Ses muscles se détendirent tandis qu'une sensation agréable envahissait son corps. Il était en sécurité, recroquevillé dans cet espace virtuel, indestructible, niché au cœur de son cerveau.

Des visages, des paroles, des sentiments commencèrent à affluer. Des bribes sans queue ni tête, tout d'abord. Puis des souvenirs de plus en plus précis. Son esprit apaisé triait les informations, les classait pour tenter de tisser des liens, d'entrevoir le tableau dans son ensemble.

L'immersion-en-Zone-Aveugle – la-policière – les-enfants-du-supermarché – Grüber – la-femme-mystère.

Les éléments défilaient à toute vitesse dans la mémoire d'Adam, s'agençaient en un gigantesque puzzle.

Le-Centre – Grüber – Mac-Laine – Max-Dombrowski – Chupa-Chups – Charles – le-capitaine-Girk – l'homme-enfant-face-à-Johnson.

Bon sang, c'était évident !

Les deux plongées poursuivaient le même objectif ! Le docteur Grüber les avait utilisés pour s'introduire dans le psychisme des tueurs et obtenir des aveux. Il avait détourné Reset au mépris du danger que cela représentait pour les pensionnaires...

Un-aigle – deux-éclairs – le-docteur-Wertz.

À moins que le directeur n'obéisse à de puissants commanditaires, qu'il soit sous la coupe d'une autre organisation. Il faudrait creuser cette hypothèse avec les Insoumis dès qu'il serait rentré... Si toutefois il parvenait à s'extraire de l'Inside.

Un-dossier – Adam – une-Shibatsu-noire – l'implantation – le-visage-d'une-mère-sous-celui-d'une-autre.

Le docteur Mac Laine affirmait qu'il était la clef de toutes ces manipulations. C'est pour cela qu'il avait accepté de plonger. Qu'allait-il trouver dans le Bunker ? Quel en serait le prix ?

Adam sentit l'angoisse revenir, menacer de prendre possession de son corps et de l'entraîner vers... Il ne savait plus très bien vers quoi, d'ailleurs. Il soupira profondément et invoqua les traits de Rachel. Le visage de la jeune femme, le goût de ses lèvres sucrées l'apaisèrent aussitôt.

Et les images se remirent à défiler.

La-Yuki-Onna – la-Chambre-Oubliée – la-dixième-symphonie – « Penses-y-autrement. »

L'adolescent *savait* qu'il n'avait pas rêvé, que cette mystérieuse apparition n'avait rien à voir avec sa maladie, qu'elle faisait partie de l'énigme.

Il se concentra sur le souvenir de la porte de la Chambre Perdue. Les graffitis gravés dans l'acier, l'œilleton auréolé de lumière et... un digicode !

Il ne l'avait pas remarqué jusque-là. À droite du battant, dissimulé dans l'ombre, un clavier. Dix touches, des lettres de l'alphabet par groupes de trois... La symphonie X était un indice pour l'ouvrir, il en était certain ! Alex déchiffrerait l'énigme, sans aucun doute.

La douleur l'arracha à ses pensées. Les lambeaux de plastique qui s'étaient enroulés autour de ses poignets, de ses chevilles, empêchaient son sang d'irriguer ses membres. Ses muscles, privés d'oxygène, envoyaient des signaux désespérés le long de sa colonne vertébrale. Des ondes de souffrance qui avaient eu raison de son cocon hypnotique.

Adam ouvrit les yeux.

L'homme était toujours là, au milieu du quai. Il s'était accroupi pour observer un gros insecte noir englué dans une flaque. Un scarabée.

Adam tira sur ses liens, s'agita pour tenter de s'extraire de la gangue qui le retenait prisonnier. En vain. À chaque mouvement, le piège se refermait un peu plus sur sa poitrine.

« Laissez-moi partir, s'il vous plaît... »

Aucune réaction. Le géant continuait de contempler les efforts de l'animal en train de se noyer.

« Allez, remue-toi un peu, tu y es presque... »

Il encourageait l'insecte d'une voix douce, tout en lui tendant un microscopique morceau de viande dont la couleur témoignait d'un séjour prolongé au fond de ses poches.

« S'il vous plaît... » implora Adam.

Les fourmillements dans ses bras devenaient insupportables et lui arrachaient des larmes. L'homme ne bougeait toujours pas. Comme s'il n'avait pas entendu la supplique ou s'en fichait éperdument.

Stimulé par l'appât, le scarabée était parvenu à se retourner. Son rostre tendu vers la nourriture, il s'efforçait de progresser dans le liquide poisseux. Il faisait claquer ses mandibules pour encourager ses pattes à se soulever. Dans un ultime tressaillement, il parvint à s'extraire de la minuscule mare. Aussitôt, il s'empara de la nourriture et s'empressa de s'éloigner.

Le géant suivit sa course du coin de l'œil. Puis il abattit son immense poing sur l'insecte, abrégeant sa brève existence.

« Sale petit voleur ! » gronda-t-il avant de se retourner vers Adam en exhibant un sourire édenté.

« S'il vous plaît qui ? » reprit-il.

L'adolescent le regarda sans comprendre.

« Laissez-moi partir, s'il vous plaît qui ? insista l'homme.

— *Monsieur*, s'il vous plaît, *monsieur*.

— Appelle-moi Hans ! » déclara le géant en claquant des mains.

Aussitôt, Adam sentit que les liens se desserraient et l'afflux brutal de sang lui arracha une grimace. Ses jambes, douloureuses d'immobilisation, flageolèrent avant de céder sous son propre poids. Il tomba sur le sol dans un gémissement.

Le géant se mit à rire tout en applaudissant.

« Bravo, bonhomme, joli spectacle ! »

Adam ne put s'empêcher de hurler.

« Mais qu'est-ce que vous voulez à la fin ? Et où est le docteur Mac Laine ? »

L'homme pencha la tête sur son épaule et reprit d'une voix douce.

« Ben alors, on est vexé ? Il ne faut pas t'énerver comme ça. »

Puis il frappa dans ses mains. Trois coups, secs, sonores. Aussitôt, deux fauteuils de cuir apparurent sur le quai. Le géant s'installa dans l'un des sièges en extirpant une flasque argentée de son long manteau.

« Vois-tu, bonhomme, j'ai déjà répondu à la question numéro deux... Et en ce qui concerne la numéro un, je te ferais remarquer que je ne t'ai rien demandé... C'est toi qui es venu ici... Tu veux boire un coup ? »

La peur avait cédé la place à la colère. Adam se redressa lentement, fit quelques pas et se campa devant le géant.

« Non ! Je ne veux rien ! Ni boire ni m'asseoir... Je veux juste savoir comment sortir d'ici ! »

L'homme hocha la tête d'un air désolé.

« Si tu ne t'assois pas, tu ne sauras rien... Je n'aime pas les gens qui gesticulent devant moi », répondit le géant en désignant l'autre fauteuil. Adam s'exécuta à contrecœur.

L'homme tendit de nouveau la flasque en direction de l'adolescent. Mais celui-ci déclina l'offre.

« Tu as tort, c'est du bon, tu peux me croire...

— Vous avez dit que vous alliez me répondre... déclara Adam d'un ton las.

— Tu veux monter dans le Bunker, c'est ça ?

— Je suis ici pour cela.

— Tu sais ce que tu y vas trouver ?

— La vérité.

— La vérité, vraiment ? Décidément tu as beaucoup d'ambition... Mais t'es-tu seulement demandé si tu étais capable de la supporter ? »

Adam ne savait que répondre. Il était complètement désorienté par les discours décousus du clochard. Il avait beau se dire qu'il ne s'agissait que d'un implant – probablement placé là pour le tester – il se sentait perdu.

« Je... Oui !

— O.K. », fit le clochard.

Il souleva ses fesses du fauteuil, se dandina pour atteindre l'une des poches de son manteau et en extirpa une petite boîte translucide, ornée d'une étiquette à moitié déchirée.

Sur celle-ci quatre lettres : Tic-T. Le reste avait été avalé par le temps et l'humidité.

Tic-T ?

À l'intérieur de la boîte, une dizaine de minuscules gélules verte et orange s'agglutinaient contre les parois de plastique jauni. On aurait dit des bonbons, tout ce qu'il y a de plus inoffensifs.

Du pouce, le géant fit sauter le couvercle et tapota la boîte contre sa paume. Deux « pilules » vinrent se nicher au creux de sa main.

« Tu voulais la vérité, eh bien, la voici. Elle est dissimulée dans l'une de ces deux friandises. L'une d'entre elles te conduira là où tu le désires et l'autre te rendra ta véritable place... J'ai bien peur qu'il te faille choisir entre plusieurs "vérités" en définitive...

— Encore une énigme ?

— Juste un choix.

— Qu'est-ce que je risque ?

— Ta raison. Choisis vite, le temps passe... » acheva-t-il en tendant le doigt vers les écrans publicitaires. Dans un grésillement électrique, ils se réanimèrent tous ensemble. Des milliers de pixels s'allumèrent, formant un compte à rebours géant.

01 : 13 : 00

Adam blêmit.

« C'est... c'est impossible, balbutia-t-il. Nous ne sommes qu'au début de la plongée...

— Oh, tu sais, le temps passe vite en bonne compagnie. »

00 : 50 : 07

« Arrêtez ça !

— Je ne peux pas. Seul Dieu le peut... » répondit le géant en avalant une rasade d'alcool.

Adam sentit la panique l'envahir. Il était pris au piège dans les sous-sols du Bunker et il ignorait où se situait l'hôpital... Il n'avait aucune envie d'être encore dans l'Inside quand la séance s'achèverait.

« Allez-y, donnez-moi une pilule ! ordonna-t-il.

— Choisis.

— Laquelle permet d'aller où je désire ? »

L'homme haussa les épaules.

« Comment veux-tu que je le sache ? Il s'agit de ton esprit après tout... »

L'adolescent fouilla dans sa mémoire en quête d'une piste, d'un indice qui pourrait le guider.

Vert ou orange ?

Comment savoir ? Et si le clochard lui mentait ? Si tout cela n'était qu'un piège ?

« Aucune des deux », répondit-il.

00 : 40 : 32

« Comme tu veux », déclara le géant en affectant de ranger les gélules.

$$00 : 31 : 10$$

Mauvaise réponse.
« Les deux ! Donnez-moi les deux ! »
Le visage de l'homme s'éclaira.
« Eh bien, tu en auras mis du temps ! »
Adam se saisit des deux bonbons, les goba tout rond.
« Et maintenant ? »
Le géant désigna les voies.
« Regarde... »
L'adolescent tourna la tête. Une vieille rame de métro tatouée de fresques bigarrées attendait à quai.
« Je... je ne comprends pas... Le Bunker n'est pas là-haut ?
— Le Bunker n'est qu'un leurre. »
Une sonnerie stridente retentit, ricochant sur la faïence des murs.
« Je crois qu'il va partir... Tu n'auras qu'une seule chance. »
Adam hésita, avant de s'engouffrer entre les portes qui déjà se refermaient. Il se laissa tomber sur une banquette lacérée et colla son visage contre la vitre.
Sur le quai, le géant le saluait de la main. Ce fut la dernière image qu'Adam enregistra avant de sombrer dans l'inconscience.

Séquence 12   **REMEMBURIED**

00 : 22 : 31

« **B**illet, s'il vous plaît ! »

Adam sursauta. Bercé par les tressautements du métro, il avait navigué dans un sommeil sans rêves, un puits de ténèbres qui avait dévoré toute réalité.

« Billet, s'il vous plaît ! »

Quelqu'un le secouait avec insistance et il finit par ouvrir les paupières.

Tout était flou.

Il ne distinguait qu'une ombre bleutée penchée sur lui, au milieu d'un brouillard.

Adam se frotta les yeux et les contours se précisèrent.

Il vit l'homme qui le dominait, puis sa casquette et enfin son uniforme marine. Un contrôleur, un militaire peut-être, difficile à dire. Ce dernier s'efforçait de détacher le badge doré qu'il arborait sur sa poitrine en attendant que l'adolescent daigne lui répondre.

Autour, rien. Rien d'autre que l'obscurité.

Adam tenta de percer la pénombre qui les encerclait. En vain.

Une seule certitude : le métro avait disparu !

Il était toujours installé sur la banquette de plastocuir, quelque part dans les limbes de l'Inside, mais tout le reste s'était évaporé. Les tubes chromés, les sièges, les carreaux sécurit, toute la rame s'était volatilisée !

L'homme cracha sur son insigne et le frotta sur le revers de sa manche pour le faire briller. Satisfait du résultat, il l'épingla au revers de sa veste. Puis il s'intéressa de nouveau à l'adolescent.

« Alors, ton billet ? »

Adam fronça les sourcils. Il reconnaissait cette voix bien que le visage lui fût parfaitement inconnu.

« Décide-toi, coco, c'est que je n'ai pas toute ma journée, moi... »

Le Comique !

Il en était certain. Ces accents narquois, cette tonalité aiguë en fin de phrase, c'était le Comique !

Adam sauta sur ses pieds.

« Le Comique ?

— Pour te servir ! répondit ce dernier dans une parodie de révérence.

— Que faites-vous là ?

— Eh bien, on dirait que tu ne comprends pas vite, toi. Nous sommes dans ton esprit, ne l'oublie pas... C'est un peu logique que je sois là, non ? »

L'adolescent haussa les épaules.

« Logique » ne semblait pas un terme très approprié dans l'Inside... Mais il était heureux, le Comique était un allié, pas toujours judicieux certes, mais un allié tout de même.

« Où sommes-nous ?

— Dans le saint des saints, dans les couches les plus secrètes de ton inconscient... Tout ce qui est enfoui en toi, tout ce que tu penses avoir oublié est ici, autour de toi. Bienvenue dans le Bunker, ton Bunker ! » déclara-t-il en pivotant sur lui-même.

Aussitôt, les ténèbres refluèrent.

Un musée !

Soutenue par d'imposantes colonnes de gypse, la voûte d'une verrière culminait à plusieurs mètres au-dessus de leurs têtes. Sur les murs s'ouvraient des centaines de niches, d'alcôves et de cellules encombrées d'objets hétéroclites tandis que le moindre espace était envahi de vitrines.

« Toutes ces choses... Elles sont à moi ?

— Exact, coco ! »

Fasciné, l'adolescent fit quelques pas dans la galerie.

Il s'arrêta devant un présentoir tendu de velours noir. Dessus était épinglé un morceau de tissu qu'il reconnut parfaitement. Un bout de mouchoir de son père, un fragment d'étoffe qu'il conservait au fond de sa poche pour se rassurer. Un gri-gri dont il avait de moins en moins besoin...

Il reprit son exploration, laissant son regard sauter de découvertes en reliques. Ici, un vieux soldat déformé par la flamme d'un briquet, un tas de ballons crevés, deux ou trois carcasses de vélo écaillées et les squelettes de vaisseaux spatiaux désossés par ses soins.

Plus loin, quelqu'un s'était même amusé à récolter et à relier toutes ses antiques consoles de jeux à une incroyable mosaïque d'écrans.

Adam contempla avec nostalgie les centaines d'objets. Chacun réveillait en lui des sentiments, des sensations qu'il avait enfouis ou oubliés. Une vague d'émotion intense, irrépressible, l'envahit et des larmes se mirent à couler le long de ses joues.

« Doucement, coco, lui glissa le Comique en le prenant par les épaules, les souvenirs doivent être consommés avec modération... Essaye de te concentrer sur ce que tu es venu chercher, car le temps défile vite... »

$$00 : 20 : 12$$

Les chiffres s'étaient imposés dans son esprit, venus de nulle part.

Un frisson le parcourut. S'il ne se pressait pas, il risquait de ne jamais pouvoir rejoindre l'hôpital avant la fin de la session, de rester piéger dans l'Inside.

« Suis-moi », murmura le Comique.

Ils traversèrent la galerie et empruntèrent de longs couloirs. Du sol au plafond, l'incroyable inventaire se poursuivait. Mais Adam évitait de s'y attarder : il n'avait aucune envie de finir « grillé », couché sur un lit à l'infirmerie.

Ils débouchèrent dans une vaste coursive tapissée de tableaux et de photos. Au centre trônait un cadre gigantesque, démesuré.

À l'intérieur...

Une voiture, une Shibatsu noire, renversée sur le toit et un peu plus loin, un autre véhicule. Une épave déchiquetée, détrempée d'où s'extirpait un enfant recouvert de sang.

« Voici ton passé. Tous les événements que tu as vécus sont soigneusement consignés ici, dans le Bunker. Tiens, regarde un peu là-bas. »

Adam tourna la tête dans la direction désignée par le Comique.

Des dizaines d'adolescents s'agitaient devant un mur blanc.

Il s'approcha et...

« Merde alors ! » laissa-t-il échapper.

C'était lui, en plusieurs dizaines d'exemplaires.

Les clones s'affairaient à fixer de nouveaux clichés sur les parois. Adam sur le quai de métro, Adam et Hans, Adam dans la rame, Adam fixant une photo d'Adam contemplant le tableau d'accident, Adam en train de regarder ses doubles occupés à accrocher des photos...

À donner le vertige.

Le Comique l'entraîna doucement vers un autre couloir entièrement plongé dans la pénombre. Il s'arrêta sur le seuil.

« À partir de là, c'est à toi de jouer, coco.

— Qu'est-ce qu'il y a là-dedans ?

— Des réponses... »

L'obscurité était totale et Adam ne parvenait pas à percer les ténèbres du couloir.

00 : 17 : 31

Les chiffres s'étaient inscrits sur sa rétine. C'était la première fois depuis qu'il plongeait dans l'Inside. Adam tendit ses bras devant lui et s'engagea dans le corridor.

00 : 17 : 00

Quelques pas dans le silence.

00 : 16 : 35

Ses yeux s'habituaient à l'absence de lumière. Bientôt, il déboucha dans une vaste pièce.

00 : 16 : 02

Les murs s'écartèrent autour de lui.

De microscopiques lueurs accrochèrent son regard tandis que ses doigts rencontraient une matière lisse et froide.

Du verre ?

Il tâtonna quelques instants dans le noir.

Un miroir, peut-être ?

En guise de réponse, la salle s'illumina, révélant une dizaine de psychés. Devant elles, une chaise en métal l'attendait.

Il s'approcha. Ils étaient tous là : Jekyll, Hyde, le Comique ! Plus un enfant et un vieillard qui lui ressemblaient étrangement.

Ils avaient tous pris sa place dans les miroirs.

« Allez, viens le schizo, viens voir papa... commença Jekyll.

— Tu n'as pas envie d'un câlin entre les bras de maman ? » reprit son inséparable compagne.

« Adam, c'est moi, na ! » affirma le gamin tandis que le vieil homme protestait :

« Erreur, jeune homme, c'est moi...

— Ou moi », conclut le dernier reflet.

Adam ne savait plus où donner de la tête. Chaque « miroir » l'interpellait à son tour pour attirer son attention.

Le volume des voix s'éleva peu à peu et bientôt, les personnages se haranguèrent d'une psyché à l'autre. Des menaces, des insultes même, commencèrent à fuser.

Étourdi par la cacophonie, submergé par ses émotions, Adam avait l'impression que son crâne allait exploser. Il se prit la tête entre les mains et s'effondra à genoux.

$$00 : 14 : 27$$

« Alors, le schizo, on flippe ?

— On dirait bien que tu vas finir comme ton copain... renchérit Miss Hyde.

— Laisse tomber, coco, ne les écoute pas.

— Maman, j'ai peur ! » hurla l'enfant.

Effrayé, épuisé, Adam se recroquevilla un peu plus sur lui-même.

« N'oublie pas ce que tu es venu chercher ici... »

La nouvelle voix était tombée du plafond, douce, apaisante.

L'adolescent releva la tête.

La Yuki-Onna, crucifiée par les barbelés, le contemplait de son regard mélancolique.

« Je t'ai laissé un message, n'oublie pas... »

Un message ?

Mais oui ! Dans la station de métro, gravé sur les écrans publicitaires... Une histoire de miroir, de reflets, de faux-semblants...

Même le meilleur miroir ne reflète pas ce qui est derrière.

Adam tenta de se concentrer mais les personnages continuaient de se disputer de plus en plus violemment.

Même le meilleur miroir ne reflète pas ce qui est derrière. Que veut-elle que je fasse ?

Il regarda la Yuki dans l'espoir qu'elle le lui explique, qu'elle l'aide encore un peu. Mais elle avait fermé les yeux, terrassée par la douleur. Seul l'index de sa main droite pointait dans la direction de la chaise.

Derrière les miroirs... Comment faire pour savoir ce qui est derrière les miroirs ?

Et soudain, il comprit.

Il se saisit du siège et l'éleva au-dessus de sa tête en se dirigeant vers le docteur Jekyll.

« Ben, qu'est-ce que tu fiches, le schizo ? » demanda ce dernier avant d'exploser.

Adam venait d'abattre la chaise sur le miroir.

Les éclats restèrent suspendus en l'air quelques secondes, avant de retomber en pluie tranchante à ses pieds.

Les autres reflets se turent aussitôt et le regardèrent avec horreur.

« Tu ne vas pas me faire de mal, dis ? implora l'enfant.

— Tu parles, il serait incapable d'écraser une mouche ! » reprit Miss Hyde.

L'adolescent se tourna vers la femme et abattit la chaise sur elle. La rage guidait ses gestes et il recommença sur le miroir suivant. Et celui d'après, et encore, encore jusqu'à ce que le sol soit couvert de débris de verre.

Il ne restait plus rien.

Ni Hyde, ni Jekyll, ni Comique, ni aucun de ses propres reflets.

Alors, au milieu de la pièce, se formèrent des images. Des hologrammes de plus en plus précis.

Qu'est-ce que c'est encore ?

Le docteur Grüber apparut en compagnie d'une femme qu'il ne connaissait pas et de lui-même, quelques années mois plus tôt.

Mon passé... C'est mon véritable passé !

Adam était en crise, recouvert de sang. Quelqu'un le maîtrisait, deux infirmiers visiblement. On le plaquait sur le Divan, tandis que le directeur du Centre pianotait sur le tableau de contrôle.

« Enclenchement de la séquence implantation, déclarat-il. Si nous parvenons à introduire un élément apaisant, nous pourrons l'aider à maîtriser ses symptômes...

— Vous pensez en être capable, docteur ? interrogea la femme.

— Si j'en crois le dossier que vous m'avez transmis, ce jeune homme fait preuve d'aptitudes toutes particulières...

— C'est exact.

— Ce que je ne parviens pas à comprendre, c'est pourquoi il fait une crise violente chaque fois qu'il sort de votre cabinet, docteur Evans, demanda Grüber tout en procédant aux réglages.

— Que voulez-vous insinuer ?

— Je ne sais pas à quel jeu vous jouez, docteur, mais il est dangereux. Vous êtes douée et j'aurais pu faire de vous mon élève mais il semble que la Compagnie ait mieux à vous offrir... »

La femme baissa la tête.

« Reset... lâcha-t-elle.

— Vous savez à quoi cela sert exactement ?

— Il s'agit d'un programme expérimental auquel vous avez participé.

— Non, je n'y ai pas participé, je l'ai créé... Mais j'ai toujours refusé d'employer des cobayes...

— Ce ne sont pas...

— Taisez-vous, j'ai déjà payé mes erreurs assez cher.

— Votre fille...

— Docteur Evans ! Je vous interdis ! Concentrez-vous plutôt sur la procédure...

— *Bien... Mais je... Qu'allez-vous faire ?*

— *Contrairement à vous, je ne vais pas manipuler la mémoire de cet enfant mais je vais essayer d'y introduire un élément persistant sur lequel son psychisme va pouvoir s'appuyer...*

— *Vous m'accusez, docteur ?*

— *Disons que je n'ai pas encore découvert ce que vous avez fait à Adam mais, du jour au lendemain, il se met à rêver d'accident de voiture...*

— *...*

— *Et voilà ! Le Comique est prêt à rejoindre ses petits camarades...*

— *Un implant ?*

— *Mieux que ça ! Le Comique est une sorte d'agent double, une hallucination destinée à lutter contre les hallucinations... dans l'espoir d'une guérison solide et durable.*

— *C'est possible ?*

— *Nous allons le savoir... »*

Adam observait la scène en analysant chacune des paroles, chacun des gestes des hologrammes. Il commençait à comprendre : ce n'était pas Grüber qui avait modifié son passé, c'était cette femme, ce docteur Evans. Le directeur, lui, avait essayé de le soigner, de lui donner une arme pour lutter contre ses hallucinations et cette arme, c'était le Comique. Les Insoumis se trompaient, Sarah Mac Laine aussi : l'ennemi n'était pas Grüber !

Une alarme retentit soudain, le tirant de ses réflexions. Et les images du docteur Grüber cédèrent la place à des chiffres.

Un filet de sueur glacée parcourut l'échine d'Adam. Cette fois-ci, il ne voyait plus comment il allait pouvoir rentrer. Il ne restait plus qu'une poignée de secondes pour sortir du Bunker et trouver l'hôpital.

Impossible !

Mais il refusait de croire que tout était fini. Max allait trouver une solution, une procédure qui permettrait à son esprit de ne pas subir le choc du retour, de ne pas finir « grillé ».

C'était sûr ! Il fallait juste attendre et faire confiance. Alors il s'assit au milieu des éclats de verre et riva son regard sur le compte à rebours.

Le rythme de sa respiration se calqua sur le décompte.

10, 9, 8...

Inspiration, expiration, inspiration... Trop vite.

7, 6, 5...

Des visages se mirent à défiler à toute allure.

4, 3, 2...

Rachel, Charles, Vince, Alex.

1.

Adam patienta. Mais cette dernière seconde n'en finissait plus de mourir.

1.

Une porte blindée apparut. En son centre, un œilleton s'entrouvrait. Une lueur intense découpait l'acier. La Chambre Perdue. Symphonie X.

1.

Bientôt, il irait peut-être rejoindre la Yuki-Onna, se fondre dans cet espace impossible, devenir une légende.

1.

Autour de lui, les débris de verre renvoyaient son image en fragments imparfaits. Des miettes d'Adam semblables à ce que deviendrait son cerveau si Max échouait.

o.

Séquence finale **WAKE UP**

« Come on, although ya try to discredit
Ya still never edit
The needle, I'll thread it
Radically poetic
Standin' with the fury that they had in '66 »

RAGE AGAINST THE MACHINE

Trente-deux minutes et une poignée de secondes avant qu'Adam ne se perde dans l'Inside...

Le docteur Grüber engagea son véhicule sur la bretelle d'autoroute puis enclencha l'A.C.A, l'assistance de conduite automatique. Il avait besoin d'avoir l'esprit libre pour réfléchir.

Il jeta un dernier coup d'œil dans le rétroviseur pour regarder l'imposant bâtiment de la Compagnie s'éloigner. On aurait dit l'étrave d'un paquebot gigantesque, naviguant au milieu d'un cimetière de hangars.

L'époque des locaux discrets, dissimulés derrière l'enseigne maladive de la Volper's Inc., semblait bien lointaine.

Le médecin songea un instant à ce jour, vingt ans plus tôt, où il avait découvert les sous-sols de la firme, ce jour où il avait suivi l'agent Smith et rencontré Bates, ce jour où il avait signé un pacte avec le diable...

La question aujourd'hui était : comment s'en sortir ?

Comment tourner le dos à cette organisation qui avait corrompu son travail au fil du temps, à ce piège qui s'était refermé sur lui ?

Cette « invitation » urgente devant le conseil d'administration – deux chercheurs, cinq gradés et dix « généreux donateurs » – l'avait à la fois épuisé et démoralisé. Ces quelques jours passés dans les bureaux aseptisés du Siège, sous la surveillance constante des caméras, avaient mis ses facultés de contrôle à rude épreuve.

Quinze entretiens, une vingtaine de questionnaires, ainsi que trois immersions en réalité virtuelle en moins de soixante-douze heures !

Au début, il avait pensé que la Compagnie l'avait convoqué pour un simple bilan et il avait exposé ses résultats scientifiques, sa comptabilité, tout un tas de dossiers qu'il avait soigneusement préparés. Mais il avait rapidement compris que la Compagnie, ses actionnaires et son noyau de militaires rasés de près voulaient tester sa loyauté.

Dès le deuxième jour, le ton s'était durci.

« Vous rappelez-vous pourquoi nous vous avons confié la direction du Centre, docteur Grüber ? » lui avait demandé Charlaine Evans lors d'un « repas amical ».

Mademoiselle Charlaine M. Evans. Soixante-huit kilos, un mètre quatre-vingts, un décolleté généreux et un Q.I. hors norme. Jadis, son élève.

Chercheuse promise à un brillant avenir dans les neurosciences, elle avait bien changé depuis qu'elle était passée de l'autre côté de la barrière. Grüber se souvenait encore de son intégration au sein de son équipe, de ce regard curieux, de cette soif d'apprendre dont elle faisait preuve alors. C'était juste après l'enlèvement de Melody.

Mais à présent, il n'y avait plus que de la froideur dans ses yeux, et quelques milliers d'eurodolls aussi.

Les silhouettes menaçantes des miradors surveillant le Centre se découpèrent dans le contre-jour d'un splendide coucher de soleil.

« Docteur Grüber, nous serons arrivés dans 6 minutes 52 secondes. Souhaitez-vous vous garer à votre place habituelle ?

— Non, passez par l'entrée de service. Park 56. Et identifiez-vous avec la carte de Lone.

— Bien, monsieur. »

Andrea Lone, un personnage inventé de toutes pièces par le psychiatre, un alter ego destiné à lui offrir quelques moments d'anonymat. Officiellement, il s'agissait d'un agent d'entretien exceptionnel, officieusement Lone permettait au docteur Grüber de s'introduire dans le Centre en toute discrétion. Depuis le début, depuis qu'il avait accepté de travailler pour la Compagnie, le psychiatre savait que tôt ou tard l'organisation voudrait reprendre la main, qu'elle l'espionnait sans doute depuis les premiers instants. Leurs objectifs étaient si éloignés des siens...

Le psychiatre colla son visage à la fenêtre de sa voiture.

Le véhicule avait quitté l'interminable langue d'asphalte de l'Axe 66 et s'enfonçait maintenant dans le *no man's land* qui entourait le Centre. Une zone interdite, en apparence à l'abandon, où la végétation rongée de pluies toxiques tentait de survivre. Hans Grüber aimait ce paysage désolé et ses teintes d'hiver nucléaire.

Bientôt, il aperçut le dôme de béton qui affleurait à la surface : la grande majorité de l'établissement se cachait sous terre.

Le véhicule s'engagea dans le parking en sous-sol.

Le médecin pensait toujours à Charlaine Evans.

En quelques années à peine, elle était devenue responsable de la division Psycorp., une section de la Compagnie chargée du développement tous azimuts des neurotechnologies. Sous son impulsion, l'organisation avait mis au point et vendu un arsenal de matériels destinés à la manipulation et au contrôle des individus.

Au mépris de l'éthique la plus élémentaire.

Juste avant son départ, elle lui avait glissé un avertissement très clair.

« Docteur Grüber, ceci est votre dernière chance... Le docteur Wertz est là pour vérifier que vos objectifs sont en... adéquation avec les intérêts de la Compagnie. Dans le cas contraire, nous serions obligés de... nous passer de vos services. »

Le médecin soupira en chassant ces paroles de son esprit. Puis il se dirigea vers l'élévateur réservé aux unités de gardiennage affectées à la surveillance de la zone d'isolement. Il sortit son badge et le passa devant l'œil du contrôle électronique.

« Bonsoir, monsieur Lone, lança l'intelligence artificielle chargée de la surveillance du Centre, la création de Max.

— Bonsoir, Pris.

— Comment vont vos enfants ? »

Grüber sourit.

Le module social de l'intelligence artificielle était particulièrement perfectionné et chaque employé avait droit à un petit mot, une petite phrase personnalisée dès son arrivée. Une innovation qu'il avait demandé à Max. À présent, il doutait que la Compagnie laisse libre cours à ce genre de « futilités ».

Les portes de l'ascenseur se refermèrent.

Le psychiatre s'appuya contre les parois acier de la cabine, harassé.

Pendant combien de temps encore parviendrait-il à maintenir ses pensionnaires à l'abri des manipulations de la Compagnie ?

Reset représentait un véritable espoir pour le traitement des maladies mentales. Mais l'organisation voulait s'en servir à d'autres fins, bien plus lucratives : les services de sécurité, l'armée s'y intéressaient de très près. De trop près.

« Et puis qui se soucie de vos fous ? » lui avait demandé Charlaine.

Grüber savait que les temps n'étaient plus à se préoccuper d'une frange de la population qui ne rapportait rien. On se contentait de leur coller un bracelet infamant et de les enfermer dans des institutions où ils s'étiolaient un peu plus chaque jour.

Les « fous » n'étaient pas productifs, ils coûtaient cher, ils étaient potentiellement dangereux, alors autant s'en débarrasser proprement. Mais avec l'Inside, Grüber avait démontré que ses patients pouvaient être *rentables*, que certains faisaient preuve de capacités hors du commun.

« Je sais bien cela, avait rétorqué Evans. C'est d'ailleurs la raison pour laquelle le Centre existe encore et qu'il va nous être utile... »

Qu'avait-elle voulu dire exactement ?

Dans un jingle discret, les portes de l'ascenseur s'ouvrirent.

« Bon courage, monsieur Lone », susurra Pris.

Le docteur Grüber s'engagea dans les couloirs déserts de la zone d'isolement, s'efforçant de se faufiler d'angle mort en angle mort. Puis il pénétra dans son bureau secret.

« Lumière ! »

Les verrous pneumatiques scellèrent les accès.

Ici, il était à l'abri, bien loin du confort de son bureau principal situé dans la partie thérapeutique. Ici, personne ne pouvait le déranger, personne ne savait qu'il pouvait surveiller une partie du Centre, sauf Max évidemment, qui lui avait installé un accès direct aux serveurs. Grüber sourit en songeant à l'informaticien. Il l'aimait beaucoup, presque comme un fils, même s'il s'en était toujours caché.

Max lui avait bricolé un système ultra-performant qui permettait au directeur d'intervenir à distance dans tout l'établissement et il pouvait même modifier subtilement les paramètres de l'Inside en cours d'immersion.

Il prit place dans un fauteuil confortable.

« Ouvrir : session. »

L'écran, face à lui, s'anima et se scinda en deux fenêtres.

À gauche, la liste des résidants et de leurs activités, à droite, celle des accès aux différents lieux. Un graphique complexe représentait les mouvements des principaux collaborateurs en fonction des données enregistrées à leur insu grâce au mouchard incrusté dans leurs cartes d'accès.

« Filtrer : docteur Mac Laine, docteur Wertz. »

Wertz, un petit génie repéré très tôt par la Compagnie.

Issu d'un milieu modeste, il n'avait été que trop content d'obtenir une bourse. En échange, il vouait à l'organisation une admiration et une loyauté sans faille...

Sarah Mac Laine avait passé la majeure partie de sa journée dans son propre bureau ou dans les salles de soins.

Et elle se trouvait actuellement en salle d'immersion.

Quant à Wertz, il était invisible. Soit il n'était pas venu au Centre, soit il avait trouvé le moyen de déjouer la surveillance. Grüber lui-même ignorait de quel niveau d'accréditation il disposait...

« Filtrer : Max. »

L'informaticien était aussi en salle d'immersion.

Que fabriquent-ils ?

Il se reporta sur la partie inférieure de l'écran.

« Caméra Imm 3 et Imm 4. »

Les images des dispositifs de surveillance défilèrent.

Dans une pièce, Adam était allongé sur le Divan sous le regard attentif de Max. Dans l'autre, Sarah Mac Laine avait pris place dans un dispositif identique pour plonger avec l'adolescent.

« Visualiser : Inside-Adam. »

Le jeune homme était attaché sur un quai de métro face à un géant hirsute.

Hans !

Grüber avait aussitôt identifié l'implant qui portait son prénom, le gardien du Bunker pour les accès non autorisés.

Le psychiatre sourit. Sarah l'avait conduit jusque-là : elle se doutait donc de quelque chose. Ils étaient enfin prêts pour l'aider.

Mais Adam semblait en difficulté.

Le docteur Grüber réanima le clavier lumineux de son ordinateur. Il ne pouvait pas changer la nature de l'implant, il pouvait juste influencer – un peu – son comportement.

Il envoya deux ou trois instructions au système. Aussitôt, Hans changea d'attitude. Le médecin soupira. Adam allait pouvoir accéder à son véritable passé.

Soudain, une alerte se mit à clignoter dans l'une de ses fenêtres.

« Identification alerte. »

Quelqu'un venait de pénétrer dans le réseau, quelqu'un qui remontait un à un les systèmes de sécurité jusqu'à lui.

Le docteur Grüber fronça les sourcils.

Wertz ?

« Déconnection ! » ordonna-t-il.

« Déconnection impossible », renvoya Pris.

Le psychiatre déclencha une série de contre-mesures programmées par Max en cas de piratage. Mais rien n'y faisait, quelqu'un avait pris le contrôle de son ordinateur.

Le visage du docteur Wertz apparut sur l'écran.

« Eh bien, docteur Grüber, on dirait bien que vous venez de signer votre acte de démission... »

GÉNÉRIQUE

Technologie et psychiatrie

La technologie décrite dans *Black Rain* appartient bien évidemment à la science-fiction... Mais pour combien de temps ?

En effet, cette discipline médicale connaît d'énormes bouleversements depuis quelques années et plus précisément depuis l'essor des techniques d'imagerie cérébrale. Les images se sont faites de plus en plus précises et aujourd'hui on peut même voir fonctionner le cerveau en direct !

Pour vous donner quelques idées des innovations les plus marquantes, voici une liste des techniques déjà à l'œuvre :

— **La stimulation profonde :** certaines maladies sont liées à un mauvais fonctionnement d'une partie des neurones. Pour les faire fonctionner correctement, on implante directement dans le cerveau des électrodes (très fines) pour stimuler ces zones avec un courant électrique.

Développée en neurologie pour des maladies comme le parkinson, cette technique est à présent utilisée pour la dépression. Mais il s'agit d'une opération « lourde » nécessitant une intervention « à cerveau ouvert ».

— **La stimulation magnétique transcrânienne** : il s'agit d'une technique utilisée à la fois pour le diagnostic de maladies neurologiques et comme traitement dans certaines pathologies psychiatriques. Elle consiste à appliquer une onde magnétique sur le cerveau à travers le crâne, ce qui en modifie son fonctionnement.

— **Réalité virtuelle et psychiatrie** : à ce jour, la réalité virtuelle est encore peu utilisée en psychiatrie mais elle semble constituer une des voies d'avenir. En effet, l'immersion plus ou moins réaliste d'un sujet au cœur d'un environnement artificiel permet d'évaluer ses réactions, ses émotions et ses éventuelles difficultés, sans aucun danger. Ainsi, on utilise la réalité virtuelle pour soigner les phobies en confrontant progressivement le sujet avec ses peurs (balade sur un pont virtuel pour des phobies du vide ou du vertige...).

— **Nanotechnologies** : les nanotechnologies constituent probablement l'un des défis les plus importants du siècle mais aussi l'une des plus grandes inconnues. En effet, nul n'est en mesure de prévoir leurs futurs domaines d'exploitation et surtout leur impact sur notre santé. Pour l'heure, elles sont utilisées dans certains aliments, dans les pesticides, les emballages alimentaires, les cosmétiques ou les textiles (il existe déjà une boisson dont le goût change selon les désirs de l'individu ou encore des T-shirts impossibles à salir ou qui filtrent les U.V.).

En psychiatrie, on envisage l'utilisation de nano-implants cérébraux pour traiter les psychoses.

Black Rain n'est peut-être pas si loin de la réalité, après tout !

REMERCIEMENTS

 Charlotte...

Il est des rencontres qui marquent votre vie à jamais, de ces instants qui restent gravés dans votre mémoire, de ces sourires qui illuminent vos périodes noires, de ces regards qui vous transcendent...

Charlotte Ruffault fut l'une de ces rencontres.

C'est elle qui m'a donné ma chance en m'engageant à Hachette avec celui qui deviendra le célèbre Patrick Bauwen. Je me souviens encore de cette première entrevue dans les locaux de la grande maison d'édition. Un regard affûté, une chevelure rousse et une incroyable énergie.

Trônant dans un minuscule bureau encombré de centaines de livres, elle nous a convaincus que nous étions capables de relever le défi qu'elle nous proposait. Je pense même qu'elle a réussi à nous faire croire que nous étions les seuls capables de le faire !

Par la suite, chacune de nos rencontres fut un instant précieux. Charlotte balayait nos doutes d'un revers de la main, nous guidait lorsque nous étions perdus et nous faisait peu à peu « grandir ».

Et puis un jour, elle a rivé son regard dans le mien, a souri en disant : « Je crois que c'est le moment de proposer un truc à toi ! » C'est à cet instant précis que j'ai véritablement commencé à y croire, que j'ai pensé pouvoir devenir, un jour, écrivain.

Nos rencontres se sont hélas espacées − je suis trop négligent avec les gens que j'aime... Mais chaque fois, c'était un bonheur, tant dans la joie que dans l'adversité. Et même lorsque les *Chroniques* n'ont pas tenu leurs promesses, Charlotte a toujours été là. Je suis passé dans une autre maison d'édition et nous nous téléphonions de temps en temps... Trop peu.

Mais il y a eu ce texto, cette nouvelle : Charlotte est partie.
Je savais qu'elle était malade − nous en avions parlé à plusieurs reprises −, mais je la pensais immortelle, inaltérable. Malgré les traitements lourds, éreintants, elle n'avait cessé d'initier des projets, de découvrir des talents, d'aimer les auteurs et les lecteurs !

Princesse Charlotte, je te salue et je sais que tu veilles encore sur moi.
Merci de toute mon âme et pardonne celui qui n'est venu que trop rarement te voir.

Ce second tome de *Black Rain* t'est entièrement dédié comme le reste de mes écrits, à jamais...

P. 5
« You are what you do... A man is defined by his actions,
not his memory. »
Kuato, personnage de *Total Recall*,
film de PAUL VERHOEVEN

« Il ignorait alors que devenir fou est parfois une réponse
appropriée à la réalité. »
PHILIP K. DICK, in *Siva*, traduction de Robert Louit,
Folio SF

« Die Wahrheit ist wie ein Gewitter [...]
Um zu zerstören. »
« Der Meister », *Herzeleid*, RAMMSTEIN

Traduction des paroles tirée du site
de fan français officiel :
« La vérité est comme un orage
Elle vient vers toi, tu peux l'entendre
Ah, c'est si amer de la proclamer
Elle vient vers toi pour (te) détruire

Pour (te) détruire
Pour (te) détruire »

P. 26
« Sous la lumière en plein [...] et qu'on y brille... »
« À ton étoile », *666-667 Club*, NOIR DÉSIR

P. 38
« The Grid. [...] And then, one day... »
Kevin Flynn, personnage de *TRON : Legacy*,
film de JOSEPH KOSINSKI

P. 50
« As I walk up to it gracefully [...] I'm stopped
and astounded by its thorns... »
« Sidewalk's Remanence », *Ship of Relations*,
YESTERDAYS RISING

P. 58
« Better keep your eyes on the road ahead [...]
Gotta live this life, until you die. »
« This Life », *North Country*, CURTIS STIGERS

P. 66
« Arrache-moi les yeux [...] La douleur jusqu'au bout
des doigts. »
« Arrache-moi », *Louise Attaque*, LOUISE ATTAQUE

P. 75
« And I'm deeply disturbed [...] And I'm deeply
unhappy »

« Deeply Disturbed », *Converting Vegetarians*,
INFECTED MUSHROOM

P. 85
« I found a truth beneath a lie [...] And the truth
is in their eyes... »
« The Truth is Out There », *The Days of Grays*,
SONATA ARCTICA

P. 97
« Yeah [...] It ran away »
« New Genious », *Gorillaz*, GORILLAZ

P. 106
« And the rain will kill us all [...] The preservation
of the martyr in me. »
« Psychosocial », *All Hope Is Gone*, SLIPKNOT

P. 119
« Your magic white rabbit [...] And just keep
diving down the hole. »
« White Rabbit », *White Rabbit*, EGYPT CENTRAL

P. 159
« La bombe humaine [...] C'est la fin, la fin. »
« La Bombe humaine », *Crache ton venin*, TÉLÉPHONE

P. 171
« What is the most resilient parasite ? [...] An idea. »
Cobb, personnage de *Inception*,
film de CHRISTOPHER NOLAN

« La véritable question [...] mais celle de savoir
si tu es prêt à entendre la réponse. »
DOCTEUR SARAH MAC LAINE, *notes, Black Rain*

« Ich habe Pläne, große Pläne [...] Ich werde immer
bei dir sein »
« Stein um Stein », *Reise, Reise,* RAMMSTEIN

Traduction des paroles tirée du site de fan
français officiel :
« J'ai des projets, de grands projets
Je vais te construire une maison
Chaque pierre est une larme
Et tu ne déménageras jamais plus
Oui, je vais te construire une maisonnette
Sans fenêtre ni porte
L'intérieur sera obscur
Aucune lumière n'y pénétrera
Oui, je vais te faire un logis
Et tu en seras une partie
Pierre par pierre
Je vais t'emmurer
Pierre par pierre
Je resterai toujours près de toi. »

P. 179
« Some of them want to use you [...] Some of them
want to be abused. »
« Sweet dreams », *Smells Like Children,*
MARILYN MANSON

P. 188
« My thoughts create a dream, [...] Promoting
m███gative mood. »
« Intrusions », *Pressure*, ENOLA GAY

P. 197
« Petite poupée brisée entre les mains salaces [...]
Kill the kid, kill the kid »
« Demain les kids », *Chroniques bluesymentales,*
HUBERT FÉLIX THIÉFAINE

P. 203
« Now she's safe from the darkness [...] Who will you
dream of tonight ? »
« The Lady Rachel », *Joy of a Toy,* KEVIN AYERS

P. 211
« Seems like yesterday [...] We were the rebels
of the rebel scene. »
« The Rebels », *To the Faithful Departed,* CRANBERRIES

P. 217
« Is our secret safe tonight ? [...] caving in ? »
« Resistance », *The Resistance,* MUSE

P. 228
« Wisper to me softly, [...] Feels so right. »
« Feels So Right », *Feels So Right,* ALABAMA

P. 255
« On n'oublie rien de rien [...] On s'habitue, c'est tout. »
« On n'oublie rien », JACQUES BREL

P. 287
« Come on, [...] Standin' with the fury that they
had in '66 »
« Wake up », *Rage Against The Machine*,
RAGE AGAINST THE MACHINE

TABLE

Saison 01 // Épisode 03
RAINING BLOOD

Saison 01 // Épisode 04
SECRET STORIES

Composé par Nord Compo Multimédia
7, rue de Fives, 59650 Villeneuve-d'Ascq

Dépôt légal : octobre 2012
N° d'édition : L.01EJEN000885.N001
Loi n° 49-956 du 16 juillet 1949
sur les publications destinées à la jeunesse

Achevé d'imprimer en Italie
par Grafica Veneta S.p.A.